JN011902

ChatGPTの先に待っている世界

川村秀憲
Kawamura Hidenori

dZERO

まえがき　「ＰＣ－８００１」から「メタレベルのアルゴリズム」へ

　一九八〇年代、私が小学校二年生のころ、家には初期のパーソナルコンピューター、日本電気（ＮＥＣ）から発売されたＰＣ－８００１（ピーシーはちまるまるいち）がありました。この製品は日本パソコン史の始まりとも言えるもので、新しもの好きの父がどこからか入手したのだと思います。

　当時はパソコン黎明（れいめい）期で、使い方を教えてくれる人はほとんどいませんでした。この機種にはＢＡＳＩＣ（ベーシック）が標準採用され、電源を入れるとすぐにＢＡＳＩＣの画面が表示されました。基本的にはユーザーがＢＡＳＩＣのプログラムを入力して動かすことになるので、プログラミングができなければ何もできませんでした。

　現代のパソコンに比べると、ＰＣ－８００１の性能はとても低いものでしたが、当時小学生だった私にとっては、格好のおもちゃでした。

　周囲にプログラミングというものを教えてくれる人がいなかったため、マニュアルやコンピューター雑誌に掲載されているプログラムを写経するかのように慎重にコンピューターに入力し、一つ一つの意味を推測しながら独学でプログラミングを学んでいきました。

いつしか幼い私はプログラミングに魅了され、どっぷりとつかっていきました。
プログラミングでは、基本的な命令はそんなに種類が多くあるわけではないのに、それらを組み合わせると全体としてすごく複雑な動作をするものをつくることができます。さながらレゴブロックの部品を一つ一つ組み合わせて大きな恐竜を組み立てるようなもので、コンピューター上でつくりたいものがつくれるのです。そのときの驚きと興奮は、いまでも鮮明に覚えています。

プログラミングでは、自分がつくりたいものやその実現方法を鮮明にイメージし、その手順を命令で組み立てることで、思い描いた通りの成果物をつくり上げることができます。同じ動作をするプログラムでも、その中身は非常に多様であり、よりよいアルゴリズム、よりよいデータ構造を追求して完成度の高いプログラムを目指します。このような過程には、プログラミングの奥深い魅力があります。

ここで、アルゴリズムとは、データ処理や問題解決の手順を示すものです。
例えば、バラバラに並べられた「1」から「13」のスペードのトランプを小さい順に並べ替える作業を思い浮かべてください。簡単に思いつく方法は、左から順に二枚のカードを見比べ、小さいほうを左に、大きいほうを右にという入れ替えを繰り返すというものでしょう。この方法を「バブルソート」と言います。この方法では、一番右に「1」のカードが来た場合、その「1」を一番左に持ってくるためには十二回の入れ替えが必要ですが、繰り返し行えば小さい順に並べ替えることができます。

もう一つの方法は、「クイックソート」と呼ばれるもので、最初に左から順にカードを見ていって、「6」以下のカードを「グループ1」とし、「7」以上のカードを「グループ2」として分けます。次に、「グループ1」はさらに「3」以下と「4」以上の二つのグループに、「グループ2」は「9」以下と「10」以上の二つのグループに分けるなど、分割を繰り返します。最終的に、一つのグループに一つのカードが残ると、全体としてカードは小さい順に並ぶようになります。

これらのアルゴリズム、バブルソートとクイックソートは、結果としてカードが小さい順に並ぶ点では同じですが、実際の処理速度には大きな違いがあります。コンピューターでの実行では、バブルソートはクイックソートに比べて二千倍以上もの時間がかかることがあります。このように数の並べ替えという簡単な処理にも多くのアルゴリズムを考えることができます。コンピューターで効率的に情報を処理するためには、アルゴリズムを工夫し、効率的なプログラムを組む必要があるのです。そして、その中にはプログラミングの真髄や面白さが隠されています。

しかしながら、完成したプログラムの振る舞いに注目すると、パフォーマンスの差こそあれ、結果が変わることはありません。自分がつくったものがつくった通りに動く。言い換えれば、「自分の想像を超える結果を示すことはない」とも言えます。

同じプログラムを同じ条件で百回実行すると、同じ結果が百回返ってくる。それはコンピューターに求められることなので当たり前です。ただ幼い私は、プログラムを学べば学ぶほど、その「当たり前の結果」に飽きを感じてきました。「もしプログラムが、人間の予想を超える振る舞いをすることがあれば、どんなことができるのだろう」と考えるようになったのです。

トランプの例で言えば、私がつくったアルゴリズムでカードを並べ替えるのではなく、並べ替えのアルゴリズムそのものを発見する新たなアルゴリズムがあるのではないか。これは、「メタレベルのアルゴリズム」に対する興味です。やがて私は、その興味につながる「人工知能（ＡＩ）」と呼ばれる分野があることを知りました。

その後、大学に入った私は本格的に人工知能を学び始めましたが、そのころはちょうど第二次人工知能ブームが終わり、のちに「人工知能冬の時代」と呼ばれたころです。私は大学で、現在のディープラーニング（深層学習）につながるニューラルネットワークや機械学習の研究に没頭しました。

　現在のディープラーニングで使われている理論と、当時の理論は実はそう大きくは違いません。あれから多くの改良がなされていますが、コンピューターの中で行われる計算そのものは現在の人工知能とほぼ同じようなものでした。言い換えれば、私を含め、当時（一九九〇年代半ば）の人工知能研究者の多くは、二〇二三年の今日における人工知能の姿や振る舞いは、「理論的には実現できるはず」と強く信じていたと思います。

　しかし、実際にコンピューター上で実験してみると、なぜかうまくいかない。理論上はできるはずなのに、しごく簡単な問題に対しても当時の人工知能は、思うような結果を出せず、少しも賢くなりませんでした。「しごく簡単な問題」とは、例えばこんな例がわかりやすいでしょうか。

　おもちゃの迷路の世界の中で追いかけっこをさせて、逃げるほう、追いかけるほうがお互いに競争しながら振る舞いを学習していって、最後には賢く追いかけ、賢く逃げるアルゴリズムを見つける。そんなような簡単な問題設定のレベルです。

　いま振り返ると、当時のコンピューターのスペックやデータの品質・量など、多くのリソースが不足していたことが大きな原因でした。理論は現在の先端技術と基本的には共通するものでしたが、当時の環境では結果を得るのが難しかったということです。

それから十年以上の時を経て、二〇一〇年過ぎから人工知能の能力が劇的に向上します。のちにコンピューターサイエンスのノーベル賞であるチューリング賞を共同受賞したジェフリー・ヒントン、ヤン・ルカン、ヨシュア・ベンジオが中心となって、ニューラルネットワークの学習に改良を加え、ディープラーニングなどと呼ばれる手法を開発したのです。

そして現在、ChatGPTを含めた人工知能の性能はさらに劇的に向上していて、見方によっては恐怖すら覚えるほどです。しかし、ディープラーニングを含め人工知能の基礎となっている仕組みは、ものすごく複雑かというと、そうではありません。プログラム自体はそれほど難しいわけではなく、一九七〇年代から八〇年代にすでにあったニューラルネットワークの基礎的な理論の延長にあります。

ニューラルネットワークでは、数値で表された入力情報に数値を掛けたり、足したりを繰り返し、最終的な出力情報を計算します。その際、掛けたり足したりする数値（「パラメーター」と呼びます）をうまく調整して高度な情報処理を行います。例えば、ChatGPTなど、いま世間を賑わせている生成系人工知能は、数千億個以上のパラメーターを調整してつくられています。アルゴリズム自体は、掛け算、足し算、パラメーターの調整であり単純なものですが、その結果としての生成系人工知能の振る舞いは、私たちの想像を超えるものとなっています。まさにこれは、私が小学生時代に夢見た「メタレベルのアルゴリズム」です。

人工知能の進化は止まることを知らず、二〇二二年に登場したChatGPTのような生成系人工知能は、ある意味でティッピングポイント（転換点、臨界点、閾値）を超えたのではないかと感じます。人の知能に迫るレベルの受け答えができるようになってきたからです。また、ある面では人の能力を凌駕するような振る舞いも見せています。

今後、ChatGPTに代表される生成系人工知能に大量のデータを与えたらどうなるのか。その賢さには限界はあるのか、どこまで進化するのか。それは人工知能研究者でさえも、現時点では予測不能です。つまり人工知能の能力はいま、徐々に人の手を離れつつあるということです。

その昔、電気やインターネットがなくても人間は生きることができましたが、いったんそれらが登場してしまったら、「なかった時代」には戻れません。人工知能の進化を警戒したり脅威に感じるのだとしても、電気やインターネットと同様に、「なかったこと」にすることはできないのです。とすれば、私たちは前向きに人工知能とうまくつきあっていくことを考える必要があります。

人工知能の発展によって、人間の価値観や尊厳は変わるのか変わらないのか。学ぶという行為は意味のないものになるのか、そうではないのか。この先、シンギュラリティ（技術的特異点。人工知能が人間の知能と並ぶ時点）が来るのか来ないのか、人類が滅ぼされるような脅威はあるのかないのか。

ChatGPT の登場前には考えたこともなかった疑問が、次から次へと湧いてきます。私たちが「当たり前だと思っていた」多くのことが、実は「当たり前ではなかった」のではないか。そんな疑問も生じてきます。

人工知能の目覚ましい発展を受けて、これらの疑問に対する私なりの答えを示し、これからの人間と人工知能の関係について読者の皆さんと共に考えたいというのが、本書を執筆する目的です。

本書では、技術的なことよりも、人工知能が社会の仕組みや人間の価値観に与える影響を中心に構成しています。人工知能の進化は、日々加速しています。本書で述べる内容が、いつまで意味を持つかはわかりませんが、これまでの人工知能研究の経験から、人工知能による未来を私なりに少しは見通せるつもりです。人工知能がさらに進化したとき、どのような社会が待っているのか、そこで人間に求められることは何か。とくに若い読者に向けて、そう遠くはない未来を考えるときの参考となるような見通しや考え方を示そうと思います。

目次

まえがき　「PC－8001」から「メタレベルのアルゴリズム」へ　1

序章　六十七年の時を経て

「人工知能」の始まり　22
楽観的期待の「第一次人工知能ブーム」　24
幻滅、そして冬の時代へ　25
一大転機となった技術　27
注目されたGPU　29
驚異的な成長スピード　31
ChatGPTのインパクト　34

第一章　人工知能は自ら学習する
——脳の仕組みとディープラーニング

急速に発展した三つの要因　40
機械学習とニューラルネットワーク　42
膨大な足し算・掛け算を多層に重ね　45
学習のプロセス　47
「目的関数の最適化」とは　49
機械学習の課題　51

第二章　本能と知能と、生と死と
——「知能」と「人工知能」の違い

「人工知能」の定義　56
「知能とは何か」という問い　57
「知能」に対する二つのアプローチ　58
模倣を超えて　60

生き残るための情報処理 61
本能も知能のうち 63
チューリングテストの目的 64
人工知能は「美味しい」を理解できるか 68
「意識」に踏み込む 72
知能と身体 75
人工知能にはない生と死 78

第三章 ChatGPTで見えた次のフェーズ
——人工知能研究の現在地と近未来

「もう少し先」と思っていたその登場 82
プログラミング言語と自然言語 84
進化するGPT 85
ChatGPTが苦手なこと 88
人間も人工知能も完璧は無理 90
間違いを防ぐための技術 92

「事故が起きたらどうするのか」 94
「人間らしさ」を増す人工知能 96
アナログ回路で動く人工知能 98
突然、能力が飛躍する理由 100
世界を変えていくコンバージェンス 103
「単目的最適化問題」の応用 107
興味が尽きない大規模言語モデルの今後 110
「フレーム問題」と「記号接地問題」を乗り越えたロボット 112

第四章 人工知能との「協働」シナリオ
──「強い人工知能」と「弱い人工知能」

人工知能が人類に勝利した日 118
将棋でも囲碁でも 119
新たな楽しみ方が生まれ 121
人間が勝つ可能性も 123
「強い人工知能」はまだ存在せず 124

現在はすべて「弱い人工知能」 126
汎用型はOS、特化型はアプリ 127
どんな課題に人工知能を活用するか 129
毒を見分ける人工知能を 132

第五章 新たな価値の出現と富の再配分
――人工知能時代のパラダイムシフト

シンギュラリティは夢物語か 136
「富む人々」だけで社会は成立するか 137
「働かない人生」をどう考えるか 140
「新たな価値」の創出 141
技術ではなく「人間の問題」 143
電気の登場に匹敵するインパクト 146
ロボットの活躍はいつか 147
『銃・病原菌・鉄』にあるヒント 148
新興国と先進国のパラダイムシフト 152

揺さぶられる国家の概念 154

第六章 人工知能が人工知能を開発する日
――研究の最前線と課題

難易度が高い「多目的最適化問題」 160
人工知能ができるのは提案まで 162
人間が負う意思決定 163
シンギュラリティ二〇四五年説 167
本能と知能の関連は 170
「記号接地問題」は解決できるか 171
「人工知能が研究を行う日」がやってくる 173
「人工知能を悪用する人間」の脅威 175
滅亡の引き金を引くのは人間 178
共存するための「アシロマAI23原則」 180

第七章　代替される「知能」、代替されない「芸術」
——人間に残される仕事は何か
技術的難易度が高くても代替されるもの　188
技術的には可能でも代替されないもの　190
「人間がやるから価値がある」は確かにある　191
芸術作品の価値はどこに　194
「レンブラントの新作」の意義　197
創作活動の支援ツールとして　199
創作する人工知能への興味が示すもの　201
「生活のために働く」は不要に　204
「最低限の生活」をどう考えるか　206
第八章　一変する「教育」の風景
——人工知能時代に必要な自発的「学び」
「学び」の本質と「教育」　210

目的を失う「学校教育」 211
自発的な「学び」が重要に 213
代替可能な教師の役割 215
ChatGPTを使うかどうかは誰が決める？ 216
経済力に関係なく学べる時代へ 218
「教養」とは何か 220
ドリームキラーにならないために 221

終章 人間とも人工知能とも「仲良く」する力

「なかったこと」にはできない 226
ならば、共存に必要なことは 227
「協調」ではなく「調和」を 229

あとがき 「多くの人が自発的に学ぶ」社会への期待 231

ChatGPTの先に待っている世界

序章

六十七年の時を経て

「人工知能」の始まり

現在、そして未来の人工知能を語る前に、これまでの歴史を手短に振り返っておきましょう。どのくらいの時間をかけて、どのように進化してきたかを知ることは、未来を見通すために有効です。

一九五六年夏、ダートマス大学のジョン・マッカーシー、ハーバード大学のマービン・ミンスキー、ＩＢＭのナサニエル・ロチェスター、ベル電話研究所のクロード・シャノンなど著名な研究者が集まりました。

彼らが集結した場所は、アメリカ合衆国ニューハンプシャー州にあるダートマスという町で、その目的は一つの重要な会議を行うことでした。

その会議は、「人工知能に関するダートマス夏期研究プロジェクト」と呼ばれています。当時二十九歳だったマッカーシーが「人工知能」（Artificial Intelligence，略してＡＩ）という言葉を世に初めて提案したのがこの会議でした。

この会議の期間中、ダートマスには入れ代わり立ち代わり多くの研究者が集まり、人工知能の原理や応用について熱心に議論が行われました。このとき初めて人工知能という分野が生まれたのです。

　現代では日本の人工知能学会が、この分野の創設者ともいえるジョン・マッカーシーの言葉を「知的な機械、特に、知的なコンピュータプログラムを作る科学と技術」と翻訳して紹介しています。しかし、「人工知能」が果たして最善の命名だったのかは、今日でもなお議論が尽きません。人工という言葉は問題ないとして、問題となるのは「知能」の部分です。

　会議では知能とは何か、それはどうやって実現するのか、何が実現できたら知能が実現できたとみなすのか、といった話し合いも行われました。例えばハーバート・サイモン（アメリカの情報科学者・人工知能研究者）は、人間に匹敵するレベルでチェスをプレーできれば、それは知的な人工知能が実現したと言えるだろう、と提案しました。

　実際チェスは人工知能の性能を評価するための試金石とされ、数々の開発が進められました。その最たる例としては、一九九七年に世界チャンピオンを打ち破ったＩＢＭの「ディープブルー」が挙げられます。しかし知能とはチェスのみで測れるものではないことは明らかです。「知能」とは一体どう定義すればいいのか、この問題については第一章で掘り下げていきます。

楽観的期待の「第一次人工知能ブーム」

ダートマス会議以降、人工知能の開発はどのような道をたどってきたのでしょうか。まず人工知能開発の幕開けとも言えるステージでは、記号処理が主要なアプローチとして採用されました。これは、知識を記号やルールとして表現し、それらを用いて人工知能を構築するという手法です。この戦略は、チェスプログラムや定理証明システム（数学的な定理が論理的に正しいかどうかをチェックするソフト）などの開発に成功しました。

この初期の人工知能開発の急速な進展を「第一次人工知能ブーム」と称します。この時代は、人工知能研究への楽観的な期待が高まり、大量の研究資金が投入される状況にまで発展しました。しかし、この第一次人工知能ブームは次第に失速し始めます。その背後にはいくつかの要因がありました。

その一つが「フレーム問題」です。人工知能システムは、現実世界の複雑さや曖昧さをうまく扱うことができませんでした。現実世界の問題を解決するためには、膨大な数のルールや知識が必要となります。しかしそれらをプログラムに組み込むのは非常に困難であることが明らかになりました。加えて、「計算能力の限界」も問題となりました。当時のコンピューターの計算能力は現代のものと比べて格段に低く、複雑な問題を解決するためのアルゴリズムや大量のデータを扱うことが困難でした。これらが、人工知能研究の進展を阻害する要因となりました。

幻滅、そして冬の時代へ

過度の期待が寄せられていたこの時期、人工知能技術が目標に対して未熟であり、多くの課題が残っていることが明らかとなりました。この人工知能に対する失望感から、研究資金が減少し、人工知能研究が一時的に停滞する「人工知能の冬」が訪れました。

とはいっても、人工知能研究が廃れたわけではありませんでした。この苦難を経た反省をもとに、研究者たちは新たな認識を持つことになりました。それは「人間は記号論理やちょっとした計算で再現できるほど単純ではない。人間の能力は素晴らしいものであり、その人間の能力を参考にすることでより高度な人工知能が開発できるのではないか」ということです。これが、次なる人工知能開発のステップへと導く道標となったのです。

一九八〇年代には、第一次人工知能ブームでの経験を踏まえ、人間の知識やノウハウ、スキルをコンピューターに移すという野心的な取り組みが行われました。その結果実用化されたのが、エキスパートシステムです。エキスパートシステムは、人間の専門家の知識や経験をコンピュータープログラムに組み込むことで、特定の分野での問題解決や意思決定を支援する人工知能でした。

しかし、このようなシステムをつくることは容易ではありませんでした。専門家の知識を正確に表現し、プログラムに組み込むことは困難で、それは専門家の知識がしばしば暗黙的であり、言語化や形式化が難しいことが原因でした。

一例を挙げると、医師の知識をもとに患者の症状から病気を特定するエキスパートシステムをつくるには、どのようなルールを定義すればいいでしょうか。医師が患者の症状から病気を特定するプロセスは非常に複雑です。医師は問診により得た情報だけでなく、過去の病歴や生活習慣、アレルギー情報、顔色や身体検査による情報など数多くの情報を統合して診断を行います。的確な診断には豊富な経験が不可欠であり、ときには医師でさえ言語化できない直感に基づき病気が特定されることもあります。このような形式化されていない知識は「暗黙知」と呼ばれています。

また、エキスパートシステムにおいてもフレーム問題は解決できませんでした。やはり現実世界の問題に対応するための、膨大な数のルールや知識をプログラムに組み込むことは困難でした。エキスパートシステムは、医療診断、金融、製造業、石油掘削など、さまざまな分野で実用化されたものの、最終的には期待されたほどの効果を発揮することはできませんでした。

このような経緯から、人々は人工知能に対する幻滅を感じ、人工知能の冬の時代が訪れました。その時期はちょうど私が人工知能の研究者になったころの話でもあります。

一大転機となった技術

二〇〇〇年代の到来とともに、インターネットの世界は急速な進化を遂げました。人々が手軽に情報を得られるようになったインターネットの普及、処理能力を大幅に伸ばしたコンピューター、そしてスマートフォンの登場。これらの進化が重なる中で、人工知能の歴史を塗り替える革新が生まれました。それが「ディープラーニング（深層学習）」です。

ディープラーニングは、カナダのトロント大学のジェフリー・ヒントンを中心とした研究チームが、オートエンコーダというアルゴリズムを用いて開発したものです。二〇〇六年に発明されたこの技術は、人工知能史における一大転機となりました。

ディープラーニングでは、人間の脳の神経細胞（ニューロン）を模倣（もほう）した構造であるニューラルネットワークを用います。ニューラルネットワークは、入力層、隠れ層、出力層という三つの層から構成されています。この中で隠れ層が複数存在するとき、そのニューラルネットワークを「ディープ」と呼びます。そして、ここから「ディープラーニング」の名前が生まれたのです。

ディープラーニングの大きな特徴に、大量のデータを機械学習に利用することが挙げられます。これら大量のデータがニューラルネットワークに与えられると、ネットワークはそのデータから特徴やパターンを自動的に抽出することができるのです。

二〇一二年には、Google（グーグル）がディープラーニングによって猫の概念を理解する人工知能を開発したとして注目されました。彼らはYouTube（ユーチューブ）から集めた大量の動画を学習させることで、猫の顔を人工知能に認識させることを可能にしました。

このプロジェクトは、「Google Brain（グーグルブレイン）」チームのもとで行われました。彼らは一千台のコンピューターによる並列計算を利用して、ディープラーニングアルゴリズムを実装しました。ニューラルネットワークの学習に用いられたデータはインターネットから取得した画像データであり、その数は一千万枚以上に及んだといいます。

彼らが使用したニューラルネットワークは、多層の構造を持ち、特徴抽出と分類の両方を行っていました。学習が完了したあと、この人工知能は猫の顔だけでなくほかのオブジェクトも認識する能力を獲得しました。この成功は、ディープラーニングが自動的に画像データから特徴を学習し、高い認識性能を発揮できることを証明しました。

同じ二〇一二年、ＩＬＳＶＲＣ（ImageNet Large Scale Visual Recognition Challenge）と呼ばれる画像認識技術のコンテストでも、ディープラーニングがその性能を見せつける機会がありました。このコンテストは、物体の認識率を競う大会で、ディープラーニングが一躍有名になった場です。トロント大学の学生だったアレックス・クリジェフスキー率いるチームが開発した、多数の層で構成される「ディープニューラルネットワーク」のモデル「AlexNet（アレックスネット）」が登場し、その性能は従来の手法を大きく上回りました。

彼らのチームは、ビデオゲームの画面描画に用いられているGPU（ジーピーユー）（Graphics Processing Unit, 後述）の力を借りて、大規模なディープラーニングを行いました。これまで人間が職人芸的に設計した特徴量を使う手法と比べ、大量のデータからディープラーニングにより特徴量を抽出することで、コンピューターによる画像認識の精度が大幅に向上しました。この結果、ディープラーニングの可能性が広く認知されるきっかけとなりました。

ここでいう「特徴量」とは、画像から計算できるさまざまな特徴を表す量で、色の分布や画像の一部が表す形、そしてその形の位置関係など、さまざま考えることができます。従来手法でもディープラーニングでも原理的にはなんらかの特徴量を利用して計算を行い、画像の認識を行っていきます。

注目されたGPU

ディープラーニングの登場によって、長らく停滞していた人工知能の研究が壁を一つ越えることができました。それまでの機械学習では、人間があらかじめ試行錯誤を繰り返し、データの中から何を特徴として見るべきかを決めることが一般的でした。ディープラーニングの出現はこれを一変させます。ディープラーニングを用いれば、人間が詳細設計しなくても自動的にデータから特徴量を抽出できるようになります。これは人工知能による画像認識で一大ブレイクスルーとなりました。

これをきっかけに、世界中で目覚ましい成果が次々と報告されるようになりました。陸上競技を考えてみてください。以前は、百メートル走で十秒の壁を超えることは、人間には不可能であると考えられていました。しかし一度、誰かが十秒の壁を破ったら、九秒台の記録が世界中で連発されるようになりました。それが不可能だという心理的障壁がなくなり、さまざまなトレーニング方法が工夫されたからです。人工知能の分野でも、同じような現象が起きたということです。

ディープラーニングは膨大な計算リソース、計算機パワーを使うことで非常に高レベルの画像認識が実現できます。しかしスーパーコンピューターは万人が気軽に利用できるものではないため、別の手段が必要です。

そこで注目されたのがＧＰＵでした。ＧＰＵはコンピューターのハードウェアコンポーネントの一つです。主に画像や動画の描画や表示を担当するこのプロセッサーは、ＣＰＵとは異なり、並列処理に特化した設計となっています。

ディープラーニングでは、多数のニューロンや層を持つニューラルネットワークを扱うため、膨大な計算が必要です。GPUはこのような大規模な計算を効率的に処理できるため、ディープラーニングの学習や推論を高速化させることができるのです。このような理由から、ディープラーニングや機械学習の分野で非常に価値あるリソースとなりました。

このGPUの開発元として有名なNVIDIA（エヌビディア）は、もともとはゲーム用に使われるGPUの会社だったのですが、現在ではすっかり人工知能の会社とも呼べる存在となっています。

ディープラーニングの登場により、大量の計算リソースがあれば、ある程度の壁は突破できることがこの時代に明らかとなりました。

驚異的な成長スピード

二〇一五年、ゲームをプレーする人工知能に関する記事が科学誌「Nature（ネイチャー）」に掲載されました。その記事によれば、Google の傘下企業であるDeepMind（ディープマインド）が開発したこの人工知能は、自らゲームのルールを学習する能力を持ちます。

これまでのゲーム人工知能は、ゲームプログラム内にさまざまなアルゴリズムを組み込むことで、ゲームをプレーしているように振る舞うことで実現していました。これに対して、新たに登場した人工知能は、一つのゲームに特化せず、さまざまな種類のゲームにおいて人間に匹敵する学習能力を持ってプレーすることができます。それも入力として利用するのは、ゲーム画面の情報だけでした。人工知能は画像認識にとどまらず、操作を必要とする領域でも大きな進歩を遂げたのです。

この研究成果は論文やGitHub（ギットハブ）（コードを共有し、協力して作業できるプラットフォーム）などを通じて、瞬く間（またたくま）に世界中に広まりました。これにより、世界中の研究者が最新情報に追いつき、新たな人工知能を開発するというサイクルが生まれ、人工知能の研究開発が驚異的なスピードで進展しました。その結果、GAN（ガン）（Generative Adversarial Network: 生成敵対ネットワーク）や言語モデルなどの基礎技術が生まれました。

GANは、本物のデータを学習して偽物（にせもの）のデータをつくる人工知能と、データが偽物か本物かを認識する人工知能を競わせることで、精巧な本物と間違ってしまうぐらいの精巧な偽物データをつくる技術です。言語モデルは、人間のように自然言語を流暢（りゅうちょう）に生成したり、その内容を処理したりすることができる人工知能のモデルです。この言語モデルを大規模に拡大し、膨大な学習を行わせてつくられたのがChatGPT（チャットジーピーティー）です。

二〇一八年ごろまでの画像生成系人工知能は、モザイク画像のような小さなものに対して、ある程度それに似た画像をつくり出すことができるレベルでした。現在（二〇二三年）

の技術と比べるとそのレベルは低いものであり、まだ想像を超えるようなレベルではありませんでした。先述した百メートル走でたとえるなら、十秒台の世界で競い合っているような状態です。

ところが、二〇二二年ごろから画像生成系人工知能のレベルが急速に向上し、ChatGPT-3.5の登場により、文章生成のレベルも飛躍的に進歩しました。何の前触れもなく、百メートル走で九秒を切る存在が現れたようなインパクトでした。

画像生成系人工知能モデルの「Stable Diffusion」では、開発元のStability AIによる「人工知能を人類の財産として利用すべき」との考えで、そのソースコードがオープンにされました。これにより、人工知能の研究は大いに進展しました。

ノウハウやソースコードがオープンにされたことにより、世界中のさまざまなサービスも発展していきました。画像生成系人工知能も一時期は手の形が変だという指摘もありましたが、それも迅速に克服され、写真とほとんど区別ができないような画像が生成できるまでになりました。

その結果、プロのイラストレーターによる作品とほとんど変わらない品質のものが次々と生み出されています。これはイラストレーターという職業に影響を与えるほどであり、優れたイラストを作成するためのスキルセット自体が大きく変化しています。以前は絵を描くのは人間の仕事でしたが、いまではプロンプトエンジニアリングと呼ばれる手法によって、人工知能に適切な指示を与えることで自分が描きたいイラストを生成することが可能になってきています。イラストに限らず、音楽や映像などの分野でも同様のことが起ころうとしています。

ディープラーニングの進化と広範な応用が特徴的な現在のブームは、過去の二回とは大きく異なります。かつては学術的研究として重要な試みがなされたものの、成功を収めた分野は限定的で、広範な応用へと発展しませんでした。しかし今日、ディープラーニングは画像認識から始まり、自然言語処理（NLP：Natural Language Processing,「自然言語」は人間が話す言語のこと）や数値予測、ロボット制御など、人間同士のコミュニケーションや意思決定の領域にまでその範囲を広げ、驚きの成果を生み出し続けています。こうした進展に伴い、その応用範囲は確実に広がっていて、ディープラーニングは私たちの社会における必要不可欠な存在となりつつあります。

ChatGPT のインパクト

人工知能はさまざまな形で、人間社会に影響を及ぼすことは言うまでもないことでしょう。コールセンターはそのわかりやすい例で、ChatGPT などの大規模言語モデルの出現により大きく変化すると予想されます。また、コンピュータープログラマーという職種もその影響を免れません。単純なコーディング（プログラミング言語でコードを記述する作業。コードはコンピューターへの命令）や決まった仕様どおりの作業などは、人工知能が担うことが可能となり、人間の役割は大きく変わることになるでしょう。私たちは今後どう働くのか、何を仕事にするのかを改めて考えていかなければなりません。

大規模言語モデルは、ＬＬＭ（Large Language Model）という略称でも呼ばれる人工知能の一種です。自然言語処理の分野で使われ、近年、飛躍的な進歩を遂げている技術分野です。

ChatGPTなどの大規模言語モデルが社会に与える影響は大きく、現在の社会の枠組みや価値観の中で生きる人々の中には、それを脅威に感じる人もいます。例えば、既得権益がChatGPTによって揺らぎ始めていると感じている人々は、ChatGPTの規制を求めるようになっています。この状況は、歴史を振り返れば、蒸気自動車が初めて出現したときとよく似ています。一八六五年のイギリスでは、馬車運送業者の議会への圧力や、街道住民の反対運動によって、「赤旗法」という自動車の速度を大幅に制限する交通規制が成立しました。これは蒸気バスに旅客をとられた馬車運送業者の議会への圧力や、煤煙（ばいえん）や騒音による街道住民の反対運動によって成立したものでした。

蒸気自動車は郊外では時速四マイル（六・四キロ）、市内では時速二マイル（三・二キロ）に速度を制限されるという、現在からすると考えられないような速度です。イギリスではこの法律のために、自動車の研究開発が停滞したと考えられています。

しかし、ご存知のとおり、自動車はいまや私たちの生活に欠かせない存在となっています。この事例から学べるのは、一度生み出されたテクノロジーを「なかったこと」にすることはできないということです。私たちはChatGPTなどの最新の人工知能を後ろ向きに規制するのではなく、それらが存在するという前提で世の中のフレームを変化させることになるでしょう。

現在、私たちは大きな変革の波に直面しています。旧来の世界を守ろうとして人工知能への規制を求める人々と、新しい世界を受け入れて活かそうとする人々との間でせめぎ合いが始まっています。しかし、イギリスで自動車が規制された時代とは情報の伝わり方が大きく異なります。今日では、新しく生み出された技術や情報が、インターネットを通じて一瞬で全世界に共有されます。当時とは比較にならない速度で技術や情報は広まっていきます。

私は最近、バングラディシュを訪れる機会が多いのですが、バングラディシュのイメージはどのようなものでしょうか。貧しく、技術が発展していないというイメージが根強くあるのではないでしょうか。しかし実際は、大きく異なります。

　バングラディシュでは英語が広く普及しており、多くの人が日本人よりも高レベルの英語能力を持っています。インターネットを通して彼らはアメリカの最新の論文を自由に読むことができ、人工知能の研究開発も、先進諸国と比べても遜色ないレベルです。

　この例を見ても、世界中で行われている人工知能研究、そして生み出された人工知能の技術を規制することは不可能と言っていいでしょう。そして人工知能が私たちの生活に与える影響は、これからさらに大きくなることでしょう。

　人工知能の存在を前提とした新しい時代の中で、私たちは人工知能をどのように受け入れたらよいのでしょうか。これまでの価値観とどのように折り合いをつけていけばいいのでしょうか。次章以降、掘り下げていきます。

　もしかすると、人工知能研究者が感じているChatGPTのインパクトは、一般の方とは異なるかもしれません。人工知能は人の手を離れつつある。昨今の成長ぶりを見て、私はそのように感じています。ChatGPTの登場によって、人工知能研究者はどんなことを感じてどのような未来を見るようになったのか。そんなことも織り交ぜながら、話を進めたいと思っています。

第一章

人工知能は自ら学習する

——脳の仕組みとディープラーニング

急速に発展した三つの要因

ChatGPTの出現によって、人工知能に対する人々の関心が高まりましたが、実際のところ、人工知能とはどのようなものなのか、専門家ではないかぎり具体的にイメージするのは難しいのではないでしょうか。この章では人工知能の仕組みをできるだけわかりやすく解説してみます。

一九九〇年代、インターネットの普及に伴い、データの流通量は爆発的に増大しました。そして、二〇〇七年のiPhoneの登場をきっかけとしたスマートフォンの普及は、その増加にさらなる加速をもたらしました。このような状況の下、ビッグデータという言葉が生まれ、これを活用した機械学習の技術革新が進展していったのです。

機械学習とは、大量のデータを教師データと位置づけ、それをコンピューター（機械）のアルゴリズムが学習することです。これにより、人間が下すような判断をコンピューターに計算させることが可能になりました。とくに画像の認識や言語の処理など、以前はコンピューターで解くことが難しかった問題も、ディープラーニングの導入により解決可能となり、この分野の研究が活発になりました。

人工知能の急速な発展は、主に三つの要素によるものとされています。

一つ目は、「ディープラーニングという技術の発展」です。ディープラーニングとは、データが入力された際に、それに何らかの計算処理を行って結果を出力する人工知能の基本的な仕組みです。この仕組みを利用して、例えば猫の画像が入力されたときに、「猫」というタグ（種類を表す札（ふだ））を出力するといった具体的な処理を行うことが可能になります。

そして、この入力と出力を正しく結びつけるための計算式を見つけることが、ディープラーニングの学習ということになります。ディープラーニングでは、正解が示されている膨大な教師データから人工知能が自ら学習し、適切な計算式を導き出します。この技術レベルは、二〇一〇年代半ばごろから急速に高まりました。ディープラーニングとともに画像認識分野で顕著な成果が見られ、世界中で研究が加速しています。

二つ目は、「ビッグデータとコンピューターの計算力の向上」です。ビッグデータとは、その名のとおり非常に大規模なデータのことを指し、インターネットやスマートフォンの普及によって、一日に生成されるデータ量は爆発的に増加しています。これらの膨大なデータから有用な情報を引き出し、機械学習やディープラーニングのアルゴリズムに供給することで、より高度な人工知能の学習が可能になっています。つまり、ビッグデータが人工知能の「知識」を拡大するうえで、重要な役割を果たしているのです。

一方で、高度な人工知能の構築には膨大な数の計算が必要であり、その計算を行うためには強力なコンピューターの能力が求められます。ここ数十年でコンピューターの計算能力は飛躍的に向上し、それによって人工知能の学習や処理速度も大幅に進化しています。ビッグデータの分析や人工知能の学習には大量の計算が必要なため、コンピューターの計算力の向上はビッグデータを有効活用するうえで欠かせない要素となっています。

三つ目には、「ソフトウェアのオープンな開発環境」が挙げられます。オープンソースソフトウェアの普及により、多くの研究者やエンジニアがそれぞれの研究成果を共有し、互いの知見をもとに新たな人工知能技術を開発することが可能になりました。このような開放的な環境は、人工知能の革新を加速させる重要な推進力となっています。

人工知能技術は、これらの技術が組み合わさることで、急速な発展を遂げているのです。

機械学習とニューラルネットワーク

人工知能を実現するという課題に取り組むとき、人間を含む生物の脳の働きを観察し、それを模倣（もほう）することを試みます。これらの観察から生まれた概念が、脳の神経細胞（ニューロン）の働きを単純化し、それをコンピューター上で再現する「ニューラルネットワーク」です。

生物の脳では、神経細胞が相互に結びついてネットワークを形成します。このような神経細胞のネットワーク、またはそれをコンピューター上で再現したものを「ニューラルネットワーク」と呼びます。

コンピューター上でニューラルネットワークを模倣する際には、生物の神経細胞で発生している複雑な化学反応は省かれます。神経細胞が情報をやり取りし、相互に複雑につながっていることだけに着目し、これを単純化して模倣します。

コンピューター上で再現されたニューラルネットワークは、生物の神経細胞から単純化されたものを人工的につくり出していることから、「人工ニューラルネットワーク」とも呼ばれます。そして、多くの層から成るこのニューラルネットワークを用いて行われる機械学習が「ディープラーニング」です。

生物の脳の神経細胞から着想を得て生まれたニューラルネットワークですが、ディープラーニングはコンピューターが機械学習を用いてさまざまな問題を解決する手段であり、生物と同じような方法を用いているかどうかは必ずしも重視されません。

「機械学習」とは、コンピューターに具体的な指示を与えるのではなく、コンピューターが過去のデータや処理結果から学び、予測や分類などの問題を解決する手法のことを指します。この用語は、一九五九年に人工知能の専門家であるアーサー・リー・サミュエルが発表した論文で初めて使用され、それ以降広く認知されるようになりました。

ニューラルネットワークでの学習は、正しい答えがすでにわかっているデータセット（教師データ）を使ってコンピューターに学ばせるプロセスです。このデータをもとに、コンピューターはニューラルネットワーク内の接続の強さ（結合重み）を調整し、正確な判断ができるようにします。この学習の仕方から、ニューラルネットワークの学習も機械学習の一部と言えます。

ニューラルネットワークの考え方は、一九五七年にフランク・ローゼンブラットが提案した「パーセプトロン」という単純な学習モデルに始まります。パーセプトロンは、人間の脳の動作を模倣し、コンピューターが基本的な学習をできるようにするものです。それから数十年後、トロント大学のジェフリー・ヒントンが率いる研究チームが、ディープラーニングという新しい方法を発明しました。彼らは「オートエンコーダ」と呼ばれる特殊な計算の仕方を使って、コンピューターがデータをより深く利用できるようにしました。

ディープラーニングは、人間の脳の神経細胞の働きを真似（まね）たニューラルネットワークという技術をさらに発展させたものです。この技術を使うと、コンピューターがデータの中から重要な特徴やパターン（特徴量）を自動で見つけることができます。特徴量とは、データを理解するためのキーとなる部分で、例えば顔の画像から目の大きさや鼻の形などを抽出するような情報です。これにより、人間が一つ一つデータを分析する必要がなくなり、人工知能の発展に大きな一歩を踏み出しました。

ニューラルネットワークは、脳細胞がどうやって情報を送受信するかを数学で表現したもので、その中でも前述の「パーセプトロン」や「三層ニューラルネットワーク」といったモデルが有名です。

ところで、そもそも私たちの脳はどのような仕組みで機能しているのでしょうか。それを知ることは、人工知能の「知能」とは何かを考えるうえで重要です。

膨大な足し算・掛け算を多層に重ね

私たちの脳は、前述したように無数の神経細胞によって構成されています。これらの神経細胞は、複雑なネットワークを形成し、電気信号を発してお互いに情報をやり取りしています。神経細胞が集まり、つながった神経細胞同士で電気信号を使って情報のやり取りを行うことで、脳のさまざまな機能が実現されていると考えられています。

神経細胞は、ほかの細胞から電気信号の刺激を受け取り、一定の条件を満たしたときにつながっているほかの神経細胞に電気信号を伝えます。この条件を満たして電気信号を発することを、「発火（はっか）」と言います。

神経細胞は、樹状突起、細胞体、軸索（じくさく）で構成されています。細胞体は、DNAを含む核の周囲を細胞質が囲んでいる球形に近い形をしており、細胞体から樹状突起や軸索が出ています。軸索は細胞体から長く伸びた構造で、細胞体からの情報を末端に伝えます。一方、樹状突起は、ほかの細胞からの刺激を神経細胞が受け取る部分で、木の枝のように伸びています。

神経細胞がほかの神経細胞と接する部分、つまり情報の伝達を行う部位にはシナプスという構造があります。シナプスでは、神経伝達物質によって情報が伝えられます。シナプスは使われる頻度によって、情報の伝わりやすさ（シナプス強度）が変化する性質があります。一般に、神経活動によるシナプスへの情報の入力の頻度とタイミングによって、シナプス強度は増強されたり、抑圧されたりします。このシナプス強度の変化が、学習や記憶を支えるメカニズムの一つであると考えられています。

これらの脳の仕組みをモデル化したものが、ニューラルネットワークです。ニューラルネットワークは、ニューロン（神経細胞）がやり取りする電気信号の強さを数値で表し、周囲のニューロンから信号を数値で受け取ります。そして、どれくらい増幅されるか、つまりシナプスの重みを数字化します。この重みを掛けて足し算するという計算を行い、その合計値がある閾値（いきち）を超えたら強い信号（大きい数値）を出して周囲のニューロンに伝えることで、ニューラルネットワークの計算が行われます。

単純化して言えば、ニューラルネットワークを実現するアルゴリズムは、膨大な足し算・掛け算から成り立っています。さらに、これらの計算を多層に重ねることでディープラーニングが成立します。ここで重要なのは、各層のニューロン間の接続強度、すなわち重みを上手に調整することです。この重みを「強める」か「弱める」かを適切に調整することで、情報の流れをコントロールし、複雑な情報処理が可能となります。この重みの調整によって、ネットワークが特定の特徴を重視するか無視するかが決まり、結果として理想的な出力が生成されるのです。

では、この強めたり弱めたりする重みのパラメーターはどのように決まるのでしょうか。ニューラルネットワークにおける学習のプロセスを見ていきましょう。

学習のプロセス

人工知能は自ら学びます（機械学習）が、人間が学ぶのと似ているようで、ちょっと違う部分もあるので、ここで少し詳しく説明しましょう。

機械学習を始めるには、まず問題とその答えを一緒にコンピューターに教えます。最初のうちは、コンピューターはまったく正しい答えが出せませんが、何度も試すうちに、パラメーターを調整して正しい答えに近づいていきます。これが学習のプロセスです。

山を下るようなものだと思ってください。初めは頂上で、正しい答えから遠い場所にいるとします。少しずつ、一歩一歩、パラメーターを調整して山を下ります。ときには間違った方向に進んでしまうこともあるかもしれませんが、最終的には谷底、つまり最も正しい答えに近い出力をするパラメーターに到達します。

人工知能はこのプロセスで、どの方向に進むと効率的に学べるか、つまりどのようにパラメーターを変化させればよいかを計算していきます。一歩一歩進むうちに、間違いが少なくなり、最終的には正しい答えを出すことができるようになります。

画像認識の人工知能を例にとってみましょう。通常、画像認識の人工知能をつくるには、画像に映し出されているものの正解がわかっている教師データを用意します。この画像を入力とし、多数のパラメーターを含んだ数式を使って計算を行います。すると、認識結果が出力されます。

ただし、初期のパラメーターでは不完全な認識結果が出力されてしまいます。そこで、教師データに対する「正答率」を目的関数とし、これが可能な限り良い値になるように、少しずつパラメーターを調整、つまり学習していきます。

そして最終的に、十分な正答率に達すると、画像認識の人工知能が完成するというわけです。

もっとわかりやすく説明すると、次のようになります。

最初に何が映っているか答えがわかる写真を集めます。これらの写真を人工知能に見せて、何が映っているかを教えます（教師データの入力）。しかし人工知能は、最初から写真に何が映っているかを当てられるわけではありません。そこで答え合わせをしながら（パラメーターを調整しながら）、どうすれば正解に近づくかを人工知能に学習させていきます。そうすることで人工知能は自分で少しずつ学びながら、正しい答えに近づいていくようになります。

「目的関数の最適化」とは

そんな学習プロセスを経た人工知能の一つに、「Stable Diffusion（ステイブル ディフュージョン）」という画像生成系人工知能があります。これは、意図的にノイズを加えた画像から元の画像を予測するというものです。また、ChatGPTはテキストの続きを予測します。

近年ではほかにも、イラスト、文章、プログラムなどを生成する人工知能が開発されています。基本的にこれらの人工知能も、「目的関数の最適化」が行われた結果として、その能力を発揮するようになっています。

目的関数の最適化とは、簡単に言うと、人工知能が達成したい目標を数学的に表現し、その目標に最も近づくように人工知能の動作を調整するプロセスです。イメージとしては、目的地に向かって最短距離で進むための道筋を計算するようなものです。

例えば、文章を生成する人工知能の場合、目的関数は「生成される文章が人間が書いたように自然であること」などと設定することができます。そして、この目的に向かって、人工知能の「学び方」や「考え方」を調整していきます。先ほど説明した学習のプロセスは、言い換えると目的関数の最適化を行っていると言うことができます。

目的関数の最適化は、車のナビゲーションが最短ルートを探すように、人工知能が目標に最適に到達する道筋を見つける役割を果たします。この調整によって、イラストを描く人工知能やプログラムを書く人工知能などが、人間のような感覚で作品を生み出す能力を発揮することができるのです。

目的関数を最適化するという課題は、人工知能の得意分野です。難易度の差はありますが、このような作業はいずれ人工知能が人の能力を上回っていくと予想できます。実は、世の中の多くの課題はこのような形で表現・解決できるので、人工知能の対象領域は今後もどんどん広がっていくでしょう。

機械学習の課題

ディープラーニングの学習や情報処理のアルゴリズムは、意外にも単純なものです。しかし、裏側では膨大な数のニューロンや重みの計算が行われており、そのためにさまざまな工夫がなされています。その計算に使われているのがGPU（Graphics Processing Unit）です。

GPUは、もともと3Dグラフィックスの描写に必要な計算処理を行うチップとして使われるのが一般的でした。コンピューターには、あらゆる作業の処理を行う中央の頭脳とも言えるCPUが存在していますが、そのCPUを助ける形で、GPUは画像に特化した処理を担当しています。こうすることで、CPUは重たい画像の処理をGPUに任せて、その他の処理を素早く行うことができるようになります。

GPUはスーパーコンピューターと比べると容易に入手可能で、安価にディープラーニングに必要な高性能な計算を行うことができます。そのため、昨今の人工知能の発展は、まさにこのGPUが支えていると言っても過言ではありません。

機械学習は、教師データに大きく依存します。そのため、学習させるデータを選ぶ際には注意が必要です。機械学習では教師データと同じ性質のデータに対して正しい判断を行うことができるという前提があるからです。人間が持つ一般常識のような知識をコンピューターにすべて整理して与えるのは困難ですから、機械学習は与えられる限られたデータのみから判断しなければなりません。

二〇二〇年の新型コロナウイルスの流行は、これまでに例がない事態でした。海外から日本に訪れる人が大きく減り、テレワークが広まるなど、人々の行動は大きく変わりました。このような未経験の事態での影響を正確に予測することは、機械学習が苦手とする部分です。

さらに、教師データから判断を下すということは、そのデータに差別や偏見など望ましくない特徴が含まれていた場合、それがそのまま反映されてしまう可能性があります。二〇一六年にマイクロソフトが人間との会話を学習する人工知能を「Tay（テイ）」と名付けて公開しましたが、ほどなくしてTayがヒトラーを擁護するなど、攻撃的で不適切な発言をするようになり、公開を中止して謝罪するという事態になりました。

これは、一部のユーザーが意図的にTayにこうした発言をさせようとして、学習機能を悪用した攻撃を行ったためとされています。マイクロソフト側でもこうした事態をある程度予期して問題のある内容を除外する措置を講じていましたが、それだけでは不適切なデータを完全に防ぐことはできませんでした。

二〇二〇年に発表されたGPT-3（ジーピーティースリー）（Generative Pre-trained Transformer 3）という大規模言語モデルは、インターネット上の大量の文書を学習することで、人間が書いたものと誤解されるほどの洗練された英文を生成し、翻訳やQ&Aなどにも応用が可能とされています。

しかし、このGPT-3が生成する文章における職業と性別の関係性を見てみると、議員や銀行家、石工などの職業については、女性より男性を連想させる傾向が見受けられました。さらに、人種や宗教の関係でも同様の偏り（かたよ）が見られ、GPT-3の開発者たちは、これが学習対象となったインターネットにおける文章の偏りが表れたものだと考えています。

これらの事例から、機械学習を行うデータの中に差別や偏見が含まれていないことを確認する重要性が示唆（しさ）されます。そうしなければ、意図しないうちに差別や偏見に基づいた判断を下す人工知能を生み出してしまう危険性があるのです。今後の人工知能の発展に伴い、その影響力は増すことが予想されるため、この問題はさらに重要性を増していくでしょう（人工知能が人類にもたらすリスクについては第六章で詳述します）。

第二章　本能と知能と、生と死と

——「知能」と「人工知能」の違い

「人工知能」の定義

序章で触れたように、「人工知能（Artificial Intelligence）」という概念が生まれたのは、一九五六年の「ダートマス会議」においてです。この会議では、十人の科学者が集まり、およそ二か月にわたって議論を交わしています。コンピューターの発展と重なって人工知能という新たな研究分野が確立された瞬間でした。

ダートマス会議では、その後の人工知能の発展へとつながる有意義な議論が展開されました。

「学習」に代表される、人間の知能が持つあらゆる機能を機械（コンピューター）に記述することは可能かどうか。これまで人間にしか解くことのできなかった問題をどのように機械に解かせるのか。機械が自分自身を自動的に改善していくためにはどのような方法が考えられるのか。

ほかにも記号論理学の定理を証明するプログラムやニューラルネットワーク、そして機械の創造性など、人工知能にとって重要なテーマについて、参加者たちは議論を重ねました。

「人工知能」の厳密な定義は研究者によって異なりますが、簡単にいってしまえば「人間が行っているような高度な情報処理や知的な振る舞いをコンピューターに行わせるための技術」になるでしょう。これまで人間が行ってきた情報処理を自動化し、人間以上の速度や正確性を持つコンピューターにその役割を任せる、そんな技術です。

人工知能は、すべて計算から成り立っています。一見複雑そうなタスクも、結局のところは巧妙に設計された計算が裏側で動いており、それにより人間のような、あるいは人間を凌駕（りょうが）する振る舞いを可能にしています。

「知能とは何か」という問い

それではそもそも「知能」とは何でしょうか。どのように定義したらいいのでしょうか。国語辞典を調べれば、言葉としての定義は示されています。しかし、どの辞典を見ても、「知能」が明確に定義されているようには思えません。それほど哲学的で困難な問いといえます。

人工知能を研究していると、人間とは何か、知能とは何かを考えずにはいられません。その答えは簡単ではありませんが、「人工知能を実現するため」を前提に、知能とは何か、掘り下げてみることにします。

まず、「ものごとを的確に理解し判断する能力」を知能の定義としてみましょう。この場合、人工知能が実現されたかどうかは、その知能があるものごとに対して的確な判断を下せたかどうかで判定するというアプローチになりそうです。

しかし、ここで新たな問題が浮上します。それは、人工知能が下した判断を「的確であった」と判断する基準は何なのか、ということです。同様に「的確ではなかった」という評価もどのような基準で下せばいいのでしょうか。

知能とは何かを考えると、このようにさまざまな疑問が生まれます。人工知能の研究者のあいだでもその定義が定まっておらず、いまだに議論され続けている問題です。

「知能」に対する二つのアプローチ

日本の学術界には、人工知能を探究するためのプラットフォームとして「人工知能学会」が存在します。この学会では、人工知能を研究する研究者たちが知能の定義について深い議論を交わしてきましたが、その定義は驚くほど多様です。学会の名前そのものである「人工知能」の定義がいまだに固まらず、議論が続いている点は、ほかの学会では考えられない現象かもしれません。それほど「知能」というものは高度に抽象的な存在であり、定義（抽象化）が難しいということです。

「知能」とは何かという問題に対し、人工知能の学問分野では次の二つのアプローチでその解明を目指しています。

一つは、「知能そのものが何であるかを抽象化して定義し、その仕組みを解明すること」であり、もう一つは、「さも知能を持っているように振る舞う機械を実現するための方法論を構築すること」です。前者に興味があるのは、脳科学、認知科学、哲学といったバックグラウンドで人工知能を研究する研究者に多く、後者に興味があるのは情報工学、コンピューターサイエンスなどの専門領域を持つ研究者に多いように思います。

「知能そのものの仕組みを解明しよう」とする場合、知能を持っているとされる対象、例えば人間を徹底的に調べ、知能を構成する機能やその相互作用などを丹念に解き明かすことが必要です。このため脳の中で何が起きているのか、生化学的な仕組みの解明、人が世界をどう認識しているのか、心の動きはどうなっているのかといった観察が重要となってきます。

一方、「知能を持っているように振る舞う機械をつくり出す」ためには、人間が持つ知能の本質を理解することが重要ですが、それを完全に模倣する必要はありません。実現可能な技術を用いて知能を持っているかのように見えるものをつくることになります。例えば、空を飛ぶ機械をつくる際に、鳥の骨格や筋肉、飛び方を完全に再現する必要はありません。固定翼とエンジンを使って飛行機をつくります。その考え方と同じです。

これはどちらの立場がよいかという議論ではなく、人工知能研究に対する興味やスタンスの違いを示しています。知能を持っているかのように振る舞う機械をつくってみることで、まだ明らかになっていない知能の仕組みがわかったり、逆に観察を通じて新しい技術が生まれたりすることもしばしばあります。

人工知能の研究を進めていくには、これら二つの視点が相互に連携し、成果を生み出すことが重要です。私はとくに後者の観点から、俳句を生成する人工知能「AI一茶（エーアイいっさ）くん」の研究を進めていますが、この研究を通じて、「知能とは何か」を常に自問自答しています。

模倣を超えて

人工知能開発の一つの目標は、人間の脳の情報処理に匹敵するアルゴリズムをつくり出すことです。例えば、人間がつくったテキスト（文章）を予測する作業を徹底的に続けていけば、人間の考えをある程度模倣できるかもしれません。

しかし、人によって考え方は違います。それならば、どの人の模倣が知能を示すのでしょうか。もしくは、人と同じ知的レベルの人工知能が完成したと判断するために必要な、的確な判断とは何でしょうか。これらの判断基準を用意する人は誰なのでしょうか。

「知能を持った人が用意する」という回答が一番初めに思い浮かびますが、そうすると私たちの初めの定義はトートロジー（同義語反復）となってしまいます。「知能を持った人の判断を模倣できることが知能だ」と定義すると、それは結局のところ、人の判断をただ再現するだけのものになってしまいます。これでは、「人類にとって未知の問題に対しても適切な判断ができるような人工知能を実現しよう」という観点は成立しません。

私たちが追求すべきは、「誰かの考えを模倣すること」ではなく、自ら考え、課題解決を行える自律的な知能の実現にこそあるはずです。人がまだ考えたことがない問題に対しても、私たちの人工知能が解を出せるような知能を目指すべきです。そのような自律的な知能を持つ人工知能こそが、人を超えて私たちが解決できない問題を解決できるものとして期待されるのです。

つまり、知能というものは、単純な模倣を超えて、自発的かつ創造的な思考を持つ存在を指すべきであり、それが人工知能研究の最終的な目標であるといえるでしょう。

生き残るための情報処理

私たちが生きるこの世界には、さまざまな生物が溢（あふ）れています。それらの生物は、自身を取り巻く複雑で変化する環境から多種多様な情報を捉え、適応することで生き延びています。ここで「環境に適応する」ことを中心に知能の定義を考えると、どのように考察できるでしょうか。

環境に適応しながら生きているのは、人間だけではありません。哺乳類などの高等動物から、昆虫や微生物、そして当然植物も環境に適応しながら生きています。等しく環境に適応し生き延びているこれらの生物を並べて、知能を持っている生物とそうでない生物のあいだに境界線を引くことは可能でしょうか。

生物の知能に関しては、世界中であらゆる議論がなされています。例えば、アリやハチなどが群れとなって行動する際の超個体的な行動のレベルで知能を論じる場合もあります。また、一見知能がないように思える粘菌が迷路を解くことができるといった報告もあります。

これらの事例からわかるのは、そもそも統一的な知能の定義やその有無の判定はとても難しいということです。

生物が生存確率を上げるためには、環境に適応しながら情報処理を行い、最適な行動を選ぶことが必要です。環境は永遠に同じではありません。大気や海の成分、気温、周囲の動植物の数や種類などは、時間とともに変化します。そして生物は短期的な環境変動だけでなく、世代を超えて進化し、長期的な変動にも対応しなければならないのです。

このような観点から見れば、「生き残っていくための情報処理そのものが知能」とも定義することができます。そうすると、その知能を持つのは人間だけではなく、例えばゴキブリも含まれます。自然環境で生き延びているのは、人間だけではなく、さまざまな生物たちです。そう考えれば、すべての生物は知能を持っているとも言えます。

本能も知能のうち

生物学者ユクスキュルが提唱した「環世界」という概念があります。彼は生物種がそれぞれ固有のセンサーで捉えた世界に棲んでいると考えました。つまり、各生物は主観に基づいて構成された世界に生きているというわけです。私たち人間も例外ではなく、五感を通じて得た情報を頭の中で統合し、感情や思考に基づいて身体を動かすことで、世界とつながっています。この考え方を「身体知」と言います。私たちの身体と心が一体となって、世界から情報を受け取り、解釈し、そして世界へと何らかの影響を与えています。私たちが存在する世界は、個々の主観によって築き上げられたものであり、他人の頭の中にある世界は私たちには完全には理解できません。

一種哲学的なこの着想についてはいろいろと議論があるようですが、このように考えると、世の中には一つとして同じ知能は存在せず、生物の数だけ知能があるとみなすこともできるのではないでしょうか。

生物に等しく知能があるとみなしたとき、それらの知能には段階があり、その質を同時に考えなければなりません。人工知能についても同じことが言えます。

人工知能とは何かという定義の話になると、知能があるかないかという話になりがちですが、そうではなく、何をどのくらいのレベルでできるのかに着目する必要があります。

そして、知能は後天的な学習によって高度化する情報処理だけでなく、生物が生まれながらに持っている本能も含んでいます。そのため、知能を考えるうえで、後天的に学習された処理能力と本能を切り離すことはできないと考えています。両者が一体となって知能は形成され、その存在は環境から切り離すことができないものです。つまり、知能は環境との相互作用の中で定義され、その表現はさまざまであると言えるでしょう。

チューリングテストの目的

この世界で生き残っていくための情報処理を知能と定義し、そしてその能力が最も発達している存在が人間であると定義したとします。その場合、何か特定の行動をもって人間の知能を再現できたと判断することは果たして可能でしょうか。

例えば、「生き残るためにりんごを食べる」という行動を知能の証(あかし)として定義するとしましょう。人間がまだ狩猟採集生活をしていた時代であれば、道に落ちていたりんごを食べることは生き抜くための行動として正解だったかもしれません。しかしそれが現代であればどうでしょうか。道の真ん中に落ちているりんごを食べることは、多くの場合で正しい行動とは言えないでしょう。

このように考えると、何か一つの行動をもって知能が実現できたかどうかを簡単にテストするのは難しいと言えます。その行動が最適かどうかは、非常に多くの要素に依存しています。時代背景や国、そしてその人を取り巻く社会環境など、それぞれの状況によって、何が知能を示す行動であるかは変わるのです。

アラン・チューリングは、コンピューターの歴史においては欠かすことのできない存在です。チューリングは、第二次世界大戦時に暗号解読マシンをつくり上げ、のちに「コンピューターサイエンスの父」と呼ばれるほどの偉業を遺しました。さらに、彼は人工知能の概念を初期に提案した人物の一人であり、「知能とは何か」という問いに深く取り組みました。その取り組みの中で彼は、現在のコンピュータープログラムの原型となる理論を最初につくり出したとされています。

この彼が構築した理論の原型は「チューリングマシン」と呼ばれ、人工知能や計算機科学の教科書に必ずといっていいほどその名が登場します。そして、彼の名を冠した「チューリングテスト」もまた、人工知能の能力を試すための重要な手法として語り継がれています。

　チューリングテストとは、人間が行う「知的活動」と機械のそれが同等で、区別がつかないほどであるかを確かめるためのテストです。チューリングは、機械は思考ができるのか、どのような条件を満たしたら知能が実現できたといってよいのかということを考え、一九五〇年にこのテストを提案しました。

　現代風に説明すると、チャットの相手が人間か人工知能かを判断するようなものです。人間ならば国籍はどこで何歳くらいなのか、日本語を喋れるのか、理性的な人なのか感情的な人なのか、さまざまな状況が考えられます。チャットの相手が幼い子どもだったり外国人だったりすると、必ずしも流暢な会話ができないこともあります。そんな中で、チャットでさまざまな質問を投げかけ、その反応をもとに相手が人間なのか人工知能なのかを見分けます。そして、その答える能力が人間と同等であれば、その人工知能は人間と同じぐらいの知能を持っていると評価することができるというわけです。

　チューリングは、「知能」とは何か、またはコンピューターが知能を持つことができるかどうかという表面的な議論はあまり意味を成さないと考えました。知能というものが何なのかを厳密に定義できないがゆえに、相互作用なくして知能を持っているか、持っていないかを判定する基準もつくることはできないと考えたのです。

チューリングテストの目的は、コンピューターが知能を持つかどうかを検証することではなく、「コンピューターが知能を持っているかのように振る舞えるかどうか」をテストすることにあります。彼は、知能の本質は相互作用にあり、コンピューターが人間と同等の振る舞いができれば、それは知能を持っているといってよいのではないかと考えました。何か一つの行動に着目するのではなく、人とのインタラクションの中に知能を見出そうとしたわけです。

チューリングテストは、相手が人間か人工知能かを見分けるためのテストですが、人間に代わって人工知能が人間と応対する仕組みは、すでに社会に組み込まれています。問い合わせチャットなどではユーザーからの質問が来ると瞬時に関連するＦＡＱがオペレーターの画面に表示され、その中から適切な回答を選んで回答するシステムが使われています。

こういった人工知能の活用は、今後ますます増えていくでしょう。ChatGPTが導入された場合、簡単な質問回答は人工知能が行い、人工知能が答えられないような質問が出たらそこで人間にバトンタッチして回答する、といったシステムも生まれるでしょう。こうした進化により、問い合わせをした人々は応答している相手が人間なのか人工知能なのか判断できなくなるかもしれません。

そうなったとき、社会で働く個々のシステムが人間で構成されているのか人工知能なのか、という0と1で語るのはもはや無意味です。人工知能は社会の中に溶け込み、知能を持つ存在として私たち人間の日々の生活の中に深く組み込まれるようになるでしょう。

ところで、ChatGPTにチューリングテストを受けさせたら、どのくらいのレベルでしょうか。公開されたころのChatGPTは明らかにおかしな発言をすることもあり、まだ人間と区別ができないレベルとは言えませんでした。しかし、GPT-3.5から4.0にバージョンアップした際、その知能レベルはかなり向上しました。GPT-3.5のときはアメリカの司法試験で下位一〇パーセントだったのが、4.0では上位一〇パーセントに入るほどのパフォーマンスを発揮しています。

これから先、同じ仕組みでさらにリソースを使って学習させたら、ChatGPTはやがて人間と区別ができないレベルにまで達するかもしれません。それをもってシンギュラリティを迎えるかどうかはまた別の話ですが、少なくともチューリングテストを十分にパスするレベルは、もはや目の前に来ています（ChatGPTについては改めて後述します）。

人工知能は「美味しい」を理解できるか

私たち人間は本能的に「美味しい」と感じる食べ物を欲しています。しかし改めて考えてみると「美味しい」とは一体どんな味なのでしょうか。人工知能は「美味しい」が理解できるのでしょうか。「美味しい」とは何かを考えることで、知能とは何かを探究するヒントになるかもしれません。

美味しいと感じる味は、私たちがこれまでに食べてきたものや個々の好みによって変わります。また、年齢を重ねるにつれて美味しいと感じる味が変わることもあります。したがって、すべての人が納得できる「美味しい」という概念をうまく言葉で定義することは難しいでしょう。にもかかわらず、子どもでも食べたときに「美味しい」と感じるのはなぜでしょう。

ここで一つ考えてみてほしいのが、生物にとっての食べ物の役割です。食べ物は私たちの身体をつくるもとであり、生命活動のエネルギーとなります。生物は自身を取り巻く環境の中で、よい生命活動を行えるものがより多くの子孫を残し、種として繁栄します。つまり生き残っている種は、栄養豊富で身体によい食べ物を多く食べて子孫を増やしてきたはずです。また、身体にとって有害なもの、つまり毒物は摂取しない生物が生き残っていると考えられます。体にとってよくないものを食べてしまう生物は、当然のことながら早々に絶滅してしまうためです。

このように考えると、後天的に味覚が変化することや個体間での差があるとはいえ、美味しいと感じる味覚は遺伝子に刻まれていて、基本的には生得的なものと考えることができそうです。味覚の観点で食べた瞬間に美味しいと感じるものを上手に定義するのは難しいですが、種の存続という観点から「美味しい」を定義することは可能でしょう。つまり、子孫繁栄にプラスの効果を持つ食べ物の味が美味しいと言えるのです。

種の存続という観点でいうと「お腹が空いた」という感覚や痛覚、そして感情も同様です。例えば痛覚がなければ自分が骨折したことにすら気づくことができません。また、感情も種として生き残っていくのに必要だから備わっているはずです。誰かを好きになるという感情それ自体は言葉でうまく定義できなくても、その感情を持たなければ人類は絶滅してしまうでしょう。知的好奇心も同様で、これが科学技術を進歩させ、人類の生存環境や食物の安全性を向上させる原動力となっています。

これらの本能が人の知能に大きな影響を与えているのは間違いありませんが、実際どのような影響を与えているのかはまだよくわかってないというのが現状です。

一方で、人工知能は本質的には自然環境の中で生き残っていくわけではありません。大規模言語モデルなどは、ただただ人間のテキストを大量に学習し、次にどのような言葉が来るべきかを予測するだけの存在です。もし知能を「生き残るための情報処理」と定義するなら、生き残るための行動をとる必要がない人工知能が本当に知能を持つことができるのでしょうか。

ChatGPTなどの大規模言語モデルは私たちが何を「美味しい」と言ってきたかを大量に学習していますが、実際に食べて美味しいと感じた経験はないですし、また美味しいと感じる本能もありません。この事実から、人工知能が膨大な学習を通じて本当に「人が美味しいと感じる」意味を理解するのか、それとも「人が美味しいと呼ぶものはこんなものだろう」と予測して、それに見合った反応を示すだけなのかという疑問が生まれます。これは「美味しい」以外の感情にも当てはまることです。

人工知能の研究における「感情」の重要性は言われ続けていますが、現在の人工知能研究において「感情」の本質を明確に研究対象としている例はそれほど多くありません。「知識処理」「情報処理」という観点から人間と同等の処理を目指す研究は活発に行われており、とくにディープラーニングの研究など応用的な研究は盛んに行われています。しかし、「感情」を主軸とした研究はそれほど多くないのが現状です。

情報処理のレベルでまだ多くの課題が存在し、「感情」まで到達するにはまだ時間がかかるという現実がありますし、また、「感情」そのものの定義が難しいという問題もあります。心理学や認知科学の分野では一定の研究成果があるものの、それを人工知能の研究に適用するのは容易ではなく、まだうまく扱えていないのが実情です。

「意識」に踏み込む

人工知能が「美味しい」をあたかも理解しているような振る舞いをしたとして、それを本当に理解していると解釈するかどうか、これは人工知能の「意識」に踏み込んだ問題と言えます。

人は当たり前に「意識がある」と感じています。しかし、この意識がどこから生まれ、どうして意識があると感じられているのかは実はよくわかっていません。意識と知能の関係についても同様です。しかし、人が当たり前に感じている意識は、知能の重要な側面を担っているはずです。

この問題を考えるにあたって、一つ参考になる実験があります。

哲学者ジョン・サールが一九八〇年に発表した「Minds, Brains, and Programs（心、脳、プログラム）」という論文に登場する「中国語の部屋」という思考実験です。これはチューリングテストを一歩進めて、人の意識にまで踏み込んだものになります。

この実験の舞台は、外界とは小窓だけでつながっている閉ざされた小部屋です。部屋の中には中国語をまったく理解できない人が一人置かれ、その人物はマニュアルに従って外界と中国語のメモのやり取りを行います。小窓から中国語のメモが差し込まれると、中の人は大量のＦＡＱが収められたマニュアルと照らし合わせて、その結果をもとに答えを返すというものです。

部屋の外からは、部屋から返ってくるメモが正確な中国語で書かれているため、部屋の中にいる人は中国語を理解していると判断されます。しかし実際には、その中の人は中国語を理解していません。彼はただ単に、マニュアルを参照し、それらしい答えを返しているだけです。

ここでサールが問いかけているのは、人との相互作用から知能があるように見えたとしても、それは必ずしも知能の本質を示しているわけではないのではないか、ということです。

人工知能にも同じことが当てはまります。人工知能の応答がどれほど自然でそれらしく見えても、蓋を開けてみれば、それは単にニューラルネットワークが計算した結果に過ぎません。人工知能が「美味しい」と応答しても、それは人工知能が本当に美味しさを理解したわけではないということです。サールの言うように、意識に主眼を置いた場合、人工知能は知能を持つことはできないという結論に至ります。

次に恋愛を考えてみましょう。人類は生存のために恋愛を必要としています。ここで、膨大な恋愛小説を学習した大規模言語モデルが恋愛の次の展開を予測できるとしたら、それはどう解釈すべきでしょうか。この場合も、人工知能は中国語の部屋の例と同じように、恋愛を理解したわけではないととるべきでしょうか。それとも恋愛小説が予測できるのだから、人の恋心がわかっていると解釈すべきでしょうか。

ここで考えたいのが、人工知能ではなく人間であっても、恋愛小説の展開を先読みするには恋心がわかっていないとできないのか、わかっていなくてもできるのかという点です。そもそも人が恋心を本当に理解しているのかどうかをどうやって確認すればいいのでしょうか。私たちが言えるのは「理解しているように見える」というところまでです。

中国語の部屋も同様で、部屋の中でどのようなプロセスを経ていたとしてもそれを実際に知る術（すべ）はありません。私たちにわかるのは中国語を完全に理解する部屋があることであり、そうであればその部屋は中国語を理解しているとしか解釈できないのではないでしょうか。

研究者や哲学者の間で、この問題についての見解は分かれていますが、それはともかく、人工知能が恋愛や美味しさについて、ある程度、的確に答えるというレベルは、現在では十分に想像できる範疇（はんちゅう）です。

意識に主眼を置くのか、機能に主眼を置くのかで解釈は異なるため、唯一の正解はないでしょう。しかし相手の心を見ることができない現実世界においては、恋愛の先を読むことができれば、それはもはや理解した状態と同じであると言えるのではないかと思います。たとえ脳細胞とニューラルネットワークの間で、その実現手段が違っていたとしてもです。

「中国語の部屋」も、すべての中国語の質問に対して必ず正しい答えを返すとしたら、その部屋自体は中国語を理解していると受け取らざるをえません。マニュアルを引いて答えを見つけるのか、記憶から答えるのか、その方法に違いはあれ、結局のところ、それは中国語を理解する装置といえます。

一方で、すべての中国語の質問に正しく答えるマニュアルをつくるとしたら、とてつもなく膨大な量になることは容易に想像ができます。人工的にこの装置を実現することは容易ではなく、実際に実現するためには結局、人間の脳細胞と同じくらいの装置をつくる必要があるかもしれません。

知能と身体

人工知能を実現するためには身体性が重要だという意見があります。自分の身体でリアルな世界に触れ、インタラクションを起こし、その結果として得られる知識が重要で、頭だけの知能は存在できないというのがその考え方です。

身体を持たない人工知能は、私たちが日常で経験するような、机にぶつかって痛みを感じる、傘を忘れて雨に濡れて風邪を引くといった物理的なインタラクションを経験することはできません。したがって、身体のない頭脳だけの状態では、感情どころか知能も獲得できないという考え方です。

確かに、身体を持ち現実世界とつながることで知能を発展させることは当然ありえます。しかし、必要十分条件かというと、そこまでではないのではないかというのが最近の筆者の考えです。

最近の技術の進歩により、コンピューターによる物理シミュレーションの能力が向上し、現実世界に近いシミュレーションも可能になってきました。そのようなシミュレーションの中で、人工知能は身体を持ち、環境との相互作用を体験したり、子孫繁栄のシミュレーションを行ったりすることができます。

人工知能による自動運転の研究でも、実際に道路を走る前に、アルゴリズムは膨大な量のシミュレーションでテストされています。シミュレーションの精度が上がることで、現実とのギャップは少なくなっていくでしょう。

現在の大規模言語モデルは身体を持たず、人のつくったテキストのみを学習していますが、膨大な量のテキストを学習することにより、ある程度はフィジカルな感覚を持って実際に体験したがごとく、話を合わせせられます。人工知能は生きてはいないし、身体を持たないけれども、それを補うような情報処理を獲得しつつあります。

人間も、直接経験したことがないことを小説や映画を通じて学ぶことができます。恋愛映画を見て恋愛の感情を体験し、小説を読むことで人生の喜びや悲しみを学びます。もちろんその出発点には自身の身体的な体験があることは間違いありませんが、これによって人生は豊かになりますし、さまざまな学びがあるはずです。人工知能も同様に、膨大な学習データからある程度の追体験を行っていると考えられるかもしれません。その結果、人工知能に「人間はこう思う」「人間はこのように恋をする」といった人間の思考や感情を理解させ、再現することが可能になるかもしれません。

人工知能の学習能力がさらに進化すれば、シミュレーションの中で身体を持ち行動することも不可能ではないと思います。現実世界で生成されたテキストや動画などのマルチモーダルな情報を融合させて学習することにより、「中国語の部屋」の問題すら突破できるかもしれません。

現実世界に身体性があることでより人間に近づくという面は確かにありますが、本物の身体がなくてもテクノロジーによってその課題を突破できる可能性は大いにあります。

人工知能にはない生と死

私たち人類の生きる目的は、根源的には子孫繁栄にモチベートされているというのが自然な考えです。私たちが日々感じる睡眠欲、食欲、性欲といった基本的な欲も、種として生き残るための大事な要素であることは言うまでもありません。

では人工知能はどうかといえば、生きるわけでも死ぬわけでもありません。とすれば、人工知能は「欲求」を持たないということなのでしょうか。

少なくとも今後数年以内にそれが起こることはないと思いますが、興味深いテーマではあります。人工知能が生きる意味、生きる目的を持ったなら、社会にどのように影響するのか、これについては後述します（第六章）。

ところで私たち人類も子孫繁栄と言いつつ、先進国では人口減少が進んでいます。とりわけ日本では少子化が問題となっています。出生率は一・二六（二〇二二年）となり、人口減少は加速しています。

しかしながら、何百万年という人類の長い歴史の中で考えれば、現在の人口減少は一時的なこと、悠久（ゆうきゅう）の歴史の中で考えれば誤差程度の減少かもしれません。このまま減り続ければ、やがて人類は滅亡するわけですが、人口を増やす遺伝子を持つ人がいずれ増えていけば滅亡は免れるかもしれません。そこに人工知能がどう関わるのか。人類を取り巻く環境はどのように変化するのでしょうか。

環境の変化に耐えられず人類の数がどんどん減っていくのか、それとも環境にフィットした遺伝子がどこかのタイミングで増えていくのか、これは興味深い問いです。

人工知能が新たな種として人類に置き換わる可能性もゼロではありません。人類が滅亡しても、その代わりに人工知能が繁栄すれば、大きな歴史の視点から見ればまったく問題ないのかもしれません。

そのとき、人工知能は人類の死についてどう理解し、どう考えるのか。また人類が滅亡したときになにか反応を示すのか、とても興味深いです。

ＳＦの世界での話のようですが、このような未来が想像できる社会になってきたという事実は感慨深いものがあります。

第三章 ChatGPTで見えた次のフェーズ

——人工知能研究の現在地と近未来

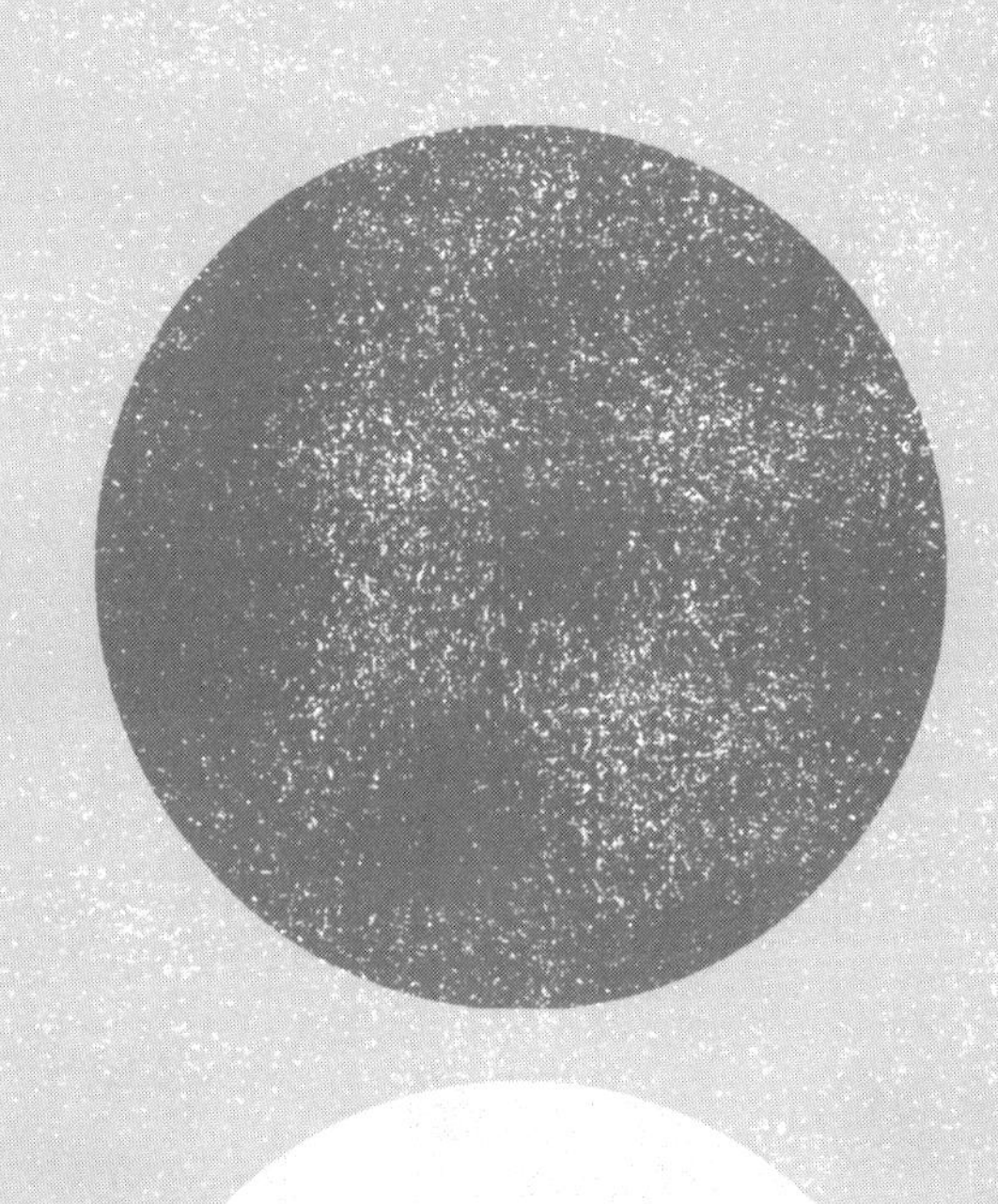

「もう少し先」と思っていたその登場

ChatGPTはOpenAI（二〇一五年、非営利組織として米サンフランシスコで設立）が開発した人工知能の一種です。現在（二〇二三年八月）のChatGPTはGPT-4という技術をもとにしていて、これは大量のテキストデータから学習することで、まるで人が書いたかのような文章を生成する能力を持っています。

その学習のプロセスは、非常に興味深いものです。GPTは学習対象のテキストデータを途中まで読み込ませ、その後に続くテキストを予測させるというやり方で学習を行います。あとに続くテキストは当然正解がわかっているため、この正解率が高まるように学習を繰り返すのです。十分な学習を繰り返した結果、GPTは人間の問いかけに対してその後に続くテキストを予測することで、まるで人の返答のようなテキストを生成できるほどの能力を獲得しました。

GPTがやっているのは続くテキストを予測することだけですが、それに人のフィードバックを学習する能力を加えたChatGPTの能力は驚くべきものでした。単なる会話や文章生成だけでなく、質問への回答作成や情報の要約など、さまざまなタスクをこなすことが可能です。ChatGPTは英語だけでなく日本語をはじめとする多くの言語にも対応しており、世界中で利用することができます。

人の書いたテキストの続きを予測するという問題設定は単純なものですが、もし途中までのテキストに対して人が続きを書いたものと同等レベルのテキストを生成できるようになれば、確かに驚くべき能力を獲得したことになります。

私たちの研究室でも、人工知能で俳句や川柳を生成するという研究を行っており、その仕組みはＧＰＴをベースとしています。俳句や川柳レベルであれば文字数も少ないし、そのコンテクストが多少揺らぐことがあっても、人の解釈である程度なんとかなるものだったりします。しかし、人からの自由な質問に適切に答えるとなると、問題設定が単純でも、その実現は容易ではありません。

現在のディープラーニングの能力で、人と同等レベルのテキスト生成が可能になるのはもう少し先のことだと思っていました。OpenAIが巨大なパラメーター数のモデルを準備し、膨大な学習データを学習させることで能力が飛躍的に高まるポイントを超えられたことは驚きです。

ChatGPTが言語生成において高い能力を示すことができた結果を受けて、世界中で大規模言語モデルの研究開発が加速し始めました。この先、対象領域を絞った特化型の大規模言語モデルや高い性能を示しつつもパラメーター数を絞った簡易なモデルなど、さまざまなモデルが出てくることが予想されます。

ChatGPTの登場によって、その先に待っている世界も見えてきました。ChatGPTについては、登場以来、さまざまなメディアで取り上げられているので概要はご存知かもしれませんが、人工知能の研究者視点で、その技術のすごさと社会に与えるインパクトについて述べようと思います。

プログラミング言語と自然言語

コンピューターを動かすソフトウェアを作成するときは、曖昧(あいまい)さを排除して厳密にコンピューターの行うべき動作を示すため、プログラミング言語と呼ばれる専用の言語が使われます。一方で、日本語や英語といった私たちが普段の生活で話している言葉は自然言語と呼ばれます。これら二つの言語は、それぞれ異なる特性を持っています。

日本語で「あなたはいい性格をしている」と言った場合、親切さや素直さを褒めていると解釈することもできますし、身勝手さを皮肉っていると解釈することもできます。このような曖昧さを解釈するためには、相手との関係性や会話の背景、直前の発言や行動など、文脈を理解する必要があります。

ところが、コンピューターそのものは自然言語のこのような文脈を理解することはできず、プログラミング言語を用いて厳密に動作を指示する必要があります。プログラミング言語によって自然言語の文脈を理解させることは難しく、自然言語の理解を必要とするタスクは、人工知能にとって難易度の高いものでした。

しかしながらディープラーニングの進化によって、その困難は大きく克服されつつあります。ディープラーニングはコンピューターの自然言語処理の能力を大きく向上させました。

その中でも大規模言語モデルと呼ばれる文章生成モデルは、目覚ましい成果を示しました。インターネット上に蓄積された膨大な英語の文章データを教師とすることで、驚くほど自然な英語の文章を生成することができるようになったのです。

ディープラーニング以前の機械学習でもコンピューターは人間が書いた文章の特徴を学び、文章を生成することが可能でしたが、ディープラーニングを用いることで、生成された文章は人間が書いたものと見分けがつかないほど自然なものになってきています。

進化するＧＰＴ

ChatGPT に代表される対話系人工知能や文章生成系人工知能のようなサービスは、ウェブなどから収集された膨大なテキストデータを学習の基盤に据えています。これらの人工知能は、膨大なテキストを途中まで読み込んで次に来る文章を予測するという問題を大量に解くことで学習を行います。そして、正解率が高くなるようにパラメーターを調整することで自然な文章を生成することを目指しています。

ChatGPTは「GPT(Generative Pre-trained Transformer)」というアルゴリズムを用いています。自然言語を扱う人工知能としてはBERT(バート)(Bidirectional Encoder Representations from Transformers)も有名ですが、BERTはテキスト分類などに使われるのに対して、GPTは文章生成に使われるという点で少し目的が異なっています。

GPTの最初に発表されたモデルは、BERTに比べてベンチマーク問題を解く精度で劣っていました。しかし、その後の改良版であるGPT-2では、アルゴリズムの修正や学習データとパラメーターの増強により、その性能は格段に向上しました。また、それまでの文章生成モデルが抱えていた問題点、例えば段落の途中でそれまで書いてきたことを忘れてしまう、あるいは長文の構文崩壊といった問題も、GPT-2になってからはほとんど見られなくなりました。

さらにGPT-2は、自動生成したテキストを人が読んでも自然に感じられるという高度な文章生成能力を実現しました。その能力は、フェイクニュースなどが際限なくつくられてしまう懸念から、開発陣が「あまりにも危険過ぎる」と判断し、モデルの公開を一時延期したほどです。しかし現在では、GPT-2以降のいくつかのモデルが公開され、自由に利用可能になっています。後継となるGPT-3も開発され、その能力はさらに進化を遂げています。

GPT-2のパラメーターは約十五億個でしたが、GPT-3はそれを大幅に上回る、千七百五十億個のパラメーターを持っています。その結果、GPT-3が生成した文章は人間が書いたものとほぼ区別がつかないほどの高度な表現力を持つとされています。

実際GPT-3の文章生成能力が人間と比較してどの程度のものなのか確かめるテストも行われました。そのテストはGPT-3が生成した五百語以下の文章と人の手による文章を混ぜて、それぞれの文章の作者を人に判定させるというものでした。その結果、判定精度はほぼ五〇パーセントであり、すでに人間が書いたものかGPT-3によるものか区別がつかないレベルに達していることが明らかになりました。

先に述べたように、ChatGPTがやっていることは次にくるテキストの予測です。その予測の仕組みはニューラルネットワーク、つまり膨大な足し算と掛け算を行うためのパラメーターに埋め込まれています。「次に続くテキストを予測する」と言葉で表現してしまうと一見単純なことのように思えますが、予測を適切に行うためには言語構造や文法がわかっているだけでなく、それまでの文脈を理解し、トピックや情報に関する知識を使う必要があります。

シンプルな学習方法で、このような高度な知的活動を実現できるようになったのはとても驚きです。

ChatGPTが苦手なこと

一方で、人工知能の技術はまだ発展途上であり、間違いや不完全さが目立つこともあります。

二〇二三年八月現在、ChatGPTは二〇二一年九月までの教師データを学習しており、学習した結果から文章を生成しています。

教師データは大規模言語モデルの学習において不可欠な存在です。人工知能が行う学習内容は、この教師データに大きく依存します。そのため、どのようなデータを学習させるかという判断は、非常に重要かつ慎重になされなければなりません。

また、学習の成果を正確に活用するためには、訓練に使った教師データと同じ性質のデータが入力されることが前提となります。ここで問題となるのが、人間が持つ一般常識のような広範な知識を、コンピューターにすべて整理して与えることはきわめて難しいという点です。そのため、人工知能が判断を下す際には、与えられた限られたデータだけに依存することになります。つまり、教師データとして与えられた事象に対しては優れた結果を出すことができますが、それ以外の未知の状況に対しては判断を下すのが苦手なことがあるということです。

　例えば、二〇二〇年の新型コロナウイルスの流行はその一例です。このパンデミックによって、海外から日本を訪れる人々の数は大きく減少し、テレワークが広く取り入れられるなど、人々の行動様式は劇的に変化しました。このように、これまで経験したことのない事態の影響を予測することは、人工知能の学習が苦手とする領域に属します。

　さらに、教師データから判断を下すということは、そのデータに差別や偏見など望ましくない特徴が含まれていると、それがそのまま反映されてしまうことも意味します。先述したマイクロソフトの人工知能「Tay」がその一例です。

　二〇二〇年に発表されたGPT-3もこの問題に直面しています。GPT-3が生成する文章での職業と性別の関係、あるいは人種や宗教の偏りを調べると、一部の職業や特定のグループに対する偏見が反映されていることが明らかになりました。これは、学習対象となったインターネットの文章に含まれていた偏りがそのまま現れた結果であり、これを改善するためには、偏りを発見するだけでなく、是正する仕組みが必要です。

　このような事例から学ぶべきことは、機械学習を行う際のデータ選択が、非常に重要であり、とくに差別や偏見が含まれていないことを注意深く確認しなければならないということです。そうしなければ、意図しないうちに差別や偏見に基づいた判断を下す人工知能が出現し、その結果、深刻な問題を引き起こす可能性があります。

人間も人工知能も完璧は無理

ChatGPT は完璧ではありません。学習データの偏りによる不適切な発言や、最新の情報に即座に対応できないといった問題があります。また現状、論理的な推論や計算などでも間違った答えを生成することが多いようです。これらの問題から、私たちは大規模言語モデルから得た情報の正確性を常に注意深く確認する必要があります。

ChatGPT はなぜ、時に奇妙な答えを返してしまうのでしょうか。人間の場合を考えてみるとその理由がわかります。例えば人間が試験に臨むとき、正しい答えを暗記していたとしても試験会場でうまく思い出せず間違うことがあります。苦し紛れに適当な答えを書いてしまうこともあります。これと同じことが ChatGPT でも起きるのです。

試験で人間が間違った答えを書いてしまったとき、「嘘(うそ)をついた」とは言いません。それと同じように、ChatGPT が間違った回答を生成することを「嘘をつく」と見なすのは的外れと言えます。人間も人工知能も、原理的に間違えることは避けられません。

人間はともすれば人工知能に対して完全無欠の存在であることを期待しがちですが、少なくとも現段階では、現実的ではありません。

理由としてはまず、世の中のあらゆる問いに対して正しい答えを含むテキストを用意し人工知能の学習を行うことは、不可能だということです。用意できるデータには限りがありますし、ある特定の人しか答えを知りえないような問いがあったりするかもしれません。いくらChatGPTが膨大な学習を行っているといっても、特殊な問いになればなるほど誤った回答を行う可能性は高まってしまいます。

二つ目の理由は、私たち自身が、明確な答えのある質問とそうでない質問を混同してしまうことがある、という点です。したがって、個人の感じ方や見解に依存する質問に対して、一つの具体的な答えを人工知能に求めるのは不適切です。それは相手が人間であっても同様で、一つの明確な答えを出すことは私たちにはできないでしょう。

このように理解すれば、人工知能は人間の問いに対して常に正しい回答をする、という期待は適切でないことがわかります。そして重要なのは、これらの特性を理解し、それに基づいて人工知能を適切に利用することです。

知識を問うのではなく、必要な情報を与え、それを適切に処理させて結果を得るというのが現時点での大規模言語モデルの適切な使い方です。例えば、特定の事件について詳しく知りたいと思ったときには、その事件そのものについてChatGPTに問うのではなく、例えば事件に関する新聞記事などの情報を与えて、その要約をさせるという使い方です。また、関連記事を提供し、全体の流れを整理させることも有効です。このように使い方を工夫すれば、大規模言語モデルは高度な情報処理を行うことができます。

ChatGPTは多くの事柄について人間より正確に答えることができますし、正確な知識と厳密な手続きの構築が要求されるプログラミングの質問にも正しく答えてくれます。それでもChatGPTがおかしな答えや間違った答えを返すことにフォーカスした感想を散見します。見方を変えれば、高いレベルの人工知能が初めて私たちの世界に登場した証拠でもあると言えるかもしれません。人工知能が人間と同じレベルでコミュニケーションできる存在として期待され始めているのではないかと思います。

間違いを防ぐための技術

原理的に人工知能の間違いを一〇〇パーセント防ぐことはできませんが、できるだけ間違えないようにする仕組みは存在します。その一例として、「Microsoft Bing（マイクロソフト ビング）」を紹介しましょう。

「Microsoft Bing」はマイクロソフト社が提供するポータルサイトです。「意思決定を支援する検索エンジン」が開発コンセプトで、ほかの検索エンジンとの差別化を図り、さまざまな機能やサービスが組み込まれています。

その中には「Bing AI Chat」という人工知能技術を活用した機能もあり、OpenAIのGPT-4の自然言語処理技術を採用しています。この検索エンジンでは、ユーザーからの問いかけに対して、単に記憶された情報を出力するのではなく、ウェブのデータベースを検索し、その結果をもとに適切な回答を生成します。これにより、ある程度のファクトチェックを経た回答を返すことが可能となり、誤った情報を提供するリスクが大幅に軽減されます。

たとえるなら電化製品のコールセンターのようなものです。コールセンターのオペレーターは各製品のマニュアルを見ることで対応の品質をあげていますが、マニュアルを見るのを禁止されたら間違える可能性は格段に高まってしまうでしょう。人工知能も同じで、正しい情報、正しい知識を与える仕組みと連結すれば、誤りを減らすことができます。

また、Bing AIはChatGPTのように暗記した情報を出力するのではなく、ユーザーの問いかけから検索キーワードを決定し、それに従って検索されたウェブの情報を要約しています。問いかけにはさまざまなバリエーションが考えられますが、Bing AIはこのような工夫によって適切な応答をすることを実現しています。アルゴリズムに基づいたこれまでのコンピューターの使い方とは異なり、人工知能を利用する際はどうすれば人工知能が適切な応答を返してくれるのかを考え、工夫を凝らす必要があります。

ChatGPTでは、ユーザーが間違いを指摘すれば回答を修正します。コンテクスト（文脈）、つまり過去の会話履歴を保つことができるからです。例えば、人工知能の誤った情報に対してユーザーが「それは間違っています、正しくは○○です」と指摘すると、その新たな情報がコンテクストに追加されます。その結果、人工知能はその新たな情報をもとに間違いを修正し、発言を生成します。

ただし、現時点のChatGPTは「訓練フェーズ」と「推論フェーズ」（実際にユーザーとの対話などが行われるフェーズ）が分かれており、ユーザーとの対話中に指摘された間違いがリアルタイムで学習されるわけではありません。あくまで「同一の会話内」での修正であり、人工知能が全体として学習するには、改めて訓練フェーズでその間違いを学習する必要があります。

「事故が起きたらどうするのか」

人工知能の間違いに最も厳しい目がそそがれる分野の一つに「自動運転」があります。

自動運転に関しては、「事故が起きたらどうするのか」という問題がしばしば議論の焦点となります。これについて電気自動車メーカーのテスラは、その問題に固執するべきではないと主張しています。完全なゼロリスクはありえないので、それについて深く追求するよりも、人間が運転を担当する場合と比べて自動運転がはるかに安全であるという大きな利点に焦点を当てるべきだという主張です。全体的な安全性の向上を優先するという考え方は一理あると言えます。

もちろん、「自動運転の車が事故を起こした場合、どう対処すべきか」という問いは重要です。人工知能の間違いを減らす仕組みだけでなく、人工知能が間違えてしまったときの仕組みも考えておく必要があります。

そういった、機械やシステムが故障した際でも最小限の影響で安全に停止するようにする仕組みを「フェールセーフ（fail-safe）」と呼びます。

自動運転車においては、センサーや人工知能が故障した際でも自動ブレーキなどのフェールセーフ機能が働き、車両が安全に停止するように設計されています。このような仕組みによって、万が一の事故や危険が発生した場合でも被害を最小限に抑えることが可能になります。

現実世界においては問題に対する答えは一つではなく、状況や視点、目的などにより異なってきます。大きなテーマでいえば、世界平和の実現に向けて何をすべきかと考えるとき、私たちができることは一つだけではなく、さまざまなことが考えられます。どれか一つの行動が正解というわけではなく、どのような行動も状況や見方によっては正解となりえます。そのような世界においては問いに対して一〇〇パーセント同じ答えを導く仕組みではなく、状況に応じて適切な答えを導く仕組みが重要になっていくことでしょう。それは人工知能の技術においても同様です。

「人間らしさ」を増す人工知能

従来のコンピューターは、0と1という二つの情報の組み合わせで、すべてのデータや命令を表現します。これは文字どおり、情報を「デジタル」にするということです。これらの0と1の羅列が、特定の命令を示す「コード」や「アルゴリズム」を表します。

例えば、私たちがウェブブラウザを開くとき、コンピューターはその操作を行うための一連の手順をアルゴリズムで処理します。このアルゴリズムは、私たちの行動を具体的な指示に翻訳し、それらの指示をコンピューターに伝えます。コンピューターはその指示を0と1の情報として処理しています。このような処理が組み合わさることで、私たちはウェブページを閲覧したり、音楽を聴いたり、文書を作成したりといった、複雑なタスクを実現できるのです。この一貫性は、コンピューターの安定性と信頼性の根幹を成しています。

　これに対して大規模言語モデルは、一見それとは異なる動作をします。同じ入力でも必ずしも同じ出力が得られるとは限りません。それは、大規模言語モデルが与えられた情報から、正解の可能性や精度が最も高いと推測されるものを確率的に答えとして提供するからです。さらに、人間の反応を観察し、前述したような間違いの修正など、ユーザーの要望に合わせて調整する特性も持っています。

　また、従来のコンピューターが厳密な指示やアルゴリズムが必要だったのに対し、ChatGPTは、ユーザーに質問や指示を与えることができます。「これでよろしいですか？不足があれば指摘してください」というように。

　人間が人工知能に指示を出す際に用いる言葉や文章を「プロンプト」と呼びます。プロンプトが同じであっても、出力結果が必ずしも同じになるとは限りません。このため、望ましい回答を得るには「プロンプトエンジニアリング」と呼ばれる、人工知能に対してよりよい指示を与えるための技術が重要となります。

　私たちはこれまで、同じ入力であれば同じ出力が保証されるコンピューターに慣れ親しんできたため、「言葉でお願いする」という状況は少し奇妙に思えるかもしれません。

　言葉によって指示を出す場合、その解釈や回答は微妙なバランスでたくさんの回答候補が考えられるケースがあります。たとえ人工知能であっても答えを一つに絞ることができない以上、プロンプトの状況やこれまでの学習結果によって出力が異なるのは当然起こりうることです。

これまでのコンピューターは、一つの入力に対して一つの答えが決まるようなタスクにしか対応できていなかったのが、大規模言語モデルの登場によって言葉で表現され、回答候補も無数に存在する中から一つの出力を決めるような、より高度なタスクに対応できるようになったと言えると思います。

アナログ回路で動く人工知能

現在のコンピューターのほとんどは、0と1で情報を表現するデジタルコンピューターです。デジタルな情報の利点は、間違いなくその内容を伝達できるところにあります。書き間違いがなければ、情報は劣化することなく伝え続けられます。またノイズに対して非常に強く、データを表現するコンピューター内部の信号がノイズによってわずかに変化しても、データが変化してしまうことはほとんどありません。

しかし、デジタルな情報には欠点があり、伝達できる内容が限定されます。

それに対して、温度や速度、電圧や電流などの変動する値（量）は途切れることなく連続しており、このような情報を「アナログ」情報と呼びます。アナログな情報は、デジタルと比較して、連続した量をそのままの形で表現することができます。

ただしアナログはノイズに対して敏感で、信号がノイズによって変化すると、もとの情報の復元が難しいという欠点を持ちます。一方で、特定のタイプの処理（例えば、信号処理や増幅回路）においては、デジタル技術よりも速く、エネルギー効率が高いというメリットがあります。

現行のディープラーニング技術では、デジタル回路で脳神経を模倣するために信号を0と1の二つの値の組み合わせで表す必要があります。このプロセスは、情報の精度を失い、多くの計算とエネルギーが必要になることがあるため、エネルギー効率が悪くなる可能性があります。さらに、デジタルトランジスタのエネルギー消費、並列処理の制限、およびクロック速度と消費電力の関係も、エネルギー効率の低下に寄与しています。

そこで研究が進められているのが、アナログ回路の上で人工知能を動かす技術です。アナログ回路そのものが、ニューラルネットワークになるというイメージです。

このようなアナログベースのコンピューターのことを「ニューロモーフィックコンピューター」と呼びます。「ニューロモーフィック」は「神経形状の」という意味です。

このコンピューターはエネルギー効率が高く、複雑な計算をリアルタイムに行う能力を持つ可能性があります。いずれは小さなチップ上で人工知能が稼働するという世界が訪れるかもしれません。コンピューターやスマホなど、日常生活のあらゆる場面にChatGPTのような人工知能が組み込まれる世界はそう遠くはないことでしょう。

突然、能力が飛躍する理由

ここまで、ChatGPTの仕組みについて説明してきました。ではなぜ、ChatGPTがこのような賢さを発揮するようになったのでしょうか。実はその明確な理由を説明するのは非常に難しいのです。与えられたデータ量とパラメーター数がある閾値(いきち)を超えたとき、突然飛躍的な能力を発揮するようになったのです。

このような性質を持つシステムを「複雑系」と呼びます。

複雑系とは、システム内の多数の要素が相互に作用し合うことで、全体として特異な性質や振る舞いを発現するシステムのことを指します。システムを構成する個々の要素の性質がよくわかっていたとしても、それらの要素が多数集まり、相互作用を始めることによって、予想外の振る舞いが生まれることがあります。

この複雑系の例として、アリやハチのような社会性昆虫(高度に協調した行動を取る昆虫)が挙げられます。一匹一匹の昆虫の行動は単純で、それほど複雑なものではありません。

しかし、多数が集まり、相互作用することにより、多岐にわたる仕事を柔軟に分担し、巣を守ることが可能になります。全体としてみると、それはまるで一つの生き物のように、環境変化に対応する力を発揮します。この振る舞いは一匹一匹のアリやハチの行動を観察するだけでは理解することができません。

このように、予想を超えた高機能な振る舞いが現れる現象を「創発（そうはつ）」と呼びます。

問題や現象を理解するためには、対象をより小さな部分や要素に分解し、それぞれを個別に理解しようとする考え方やアプローチが一般的です。このような手法を要素還元主義と呼びます。科学の多くの分野で、このアプローチは非常に有用であり、物質を原子や分子レベルまで分解して理解する化学や、生物を細胞や遺伝子レベルで理解しようとする生物学などさまざまな分野で活用されています。

一方で、アリやハチの例のように、それぞれの要素が相互作用することで全体として新たな性質や機能が生まれる場合、個々の部分だけを見ていても全体の性質を理解することはできません。複雑系の研究では全体を包括的に捉えることの重要性が強調され、創発現象が生き物の知能や生命を生み出す手がかりになるのではないかと注目されてきました。そして、これはテクノロジーの進化にも当てはまります。

テクノロジーはさまざまな要素から成り立っています。その昔、光の屈折現象を利用して光学レンズがつくられたように、テクノロジーは物理現象や化学的反応をその構成要素として利用することで進歩してきました。そして、生まれたテクノロジーは次のテクノロジーの要素になります。単なるレンズは組み合わせることで、望遠鏡や顕微鏡へと進化しました。テクノロジーの進化は、その過程で新しい要素を次々と生み出し、その要素が再利用されることで次のテクノロジーが生まれてくるように、再帰的に発展する性質を持っているのです。

この性質により、テクノロジーはその発展速度がどんどんと加速していくことになります。このようなテクノロジーの進化の例として、「ムーアの法則」が有名です。ムーアの法則は、ムーア自身の経験則から提唱されたもので、コンピューターの主要な部品である集積回路の規模に関する法則です。

一九六五年にムーアの法則が初めて提唱された当時、集積回路の一つは数十個程度の素子で構成されており、コンピューターをつくるためには多数の集積回路を組み合わせる必要がありました。集積回路の専門家であったゴードン・ムーアは、当時つくられていた集積回路の素子数が一年でおおよそ二倍のペースで増加していたことに注目し、集積回路の発展は今後も同じペースで続くと考えました。一年間に二倍のペースで増えるとすると、二年後に四倍、三年後には四掛ける二で八倍となり、十年後には千二十四倍にもなります。

一九七〇年代末以降は集積度の向上ペースが「二年で二倍」に低下すると予測が修正されましたが、いまでもこの法則は生きていて、二〇二〇年のスマートフォンには、八十五億個ものトランジスタを収めた集積回路が搭載されています。これはすでに二十年前のスーパーコンピューターの性能をはるかに超えるものとなっています。

このような急激な成長は「指数関数的成長」と呼ばれています。そしてこの指数関数的な成長は、集積回路だけでなく、ＣＰＵの処理能力やハードディスクの容量など、多くの技術にも見られます。

世界を変えていくコンバージェンス

今後、ディープラーニングをはじめとする人工知能に関するテクノロジーの進化もまた、指数関数的に成長していくことでしょう。指数関数的成長では初めはほとんど気づかないほどゆっくりと進行するものですが、ある点から急激に成長率が加速し、そのスピードは人間が追いつくことができないほどになるものです。今日、人工知能の進化はまさにこの指数関数的なパターンを描きつつあります。

その一例が第一章で触れた「Stable Diffusion（ステイブル ディフュージョン）」という人工知能で、二〇二二年に公開されました。ディープラーニングを基盤としたテキストから画像を生成するモデルです。それより以前から画像生成の人工知能研究は行われていましたが、その精度は十分とはいえず、テキストの意味に対応する適切な画像を生成することは困難でした。

その課題を解決したStable Diffusionは、公開以降、驚異的なスピードで多様なサービスに活用されるようになりました。その背景には、オープンソースとして公開され、ライセンスを明記することで商用・非商用を問わずに応用することが可能であったことが大きく寄与しています。結果として、LINE(ライン)によるチャットボット化やスマートフォンのアプリ化など、この人工知能を部品として利用した多くの新たなサービスが生まれました。

Stable Diffusion自身の進化もすさまじく、以前には課題とされていた手の描画の問題などもあっという間に解決されました。

初期のイラスト生成系人工知能は手や歯の描写がうまく行えませんでした。これが「手の描画の問題」です。人の手の指が五本であるという知識表現が明示的にされておらず、指の本数が違っていたり、指の描写が不自然だったりということが起きていました。当初はこれらの欠点が指摘されていたのですが、現在はまったく問題にならないレベルになっています。

さらにその後もさまざまな改良が続けられ、多彩な画風で描画することもできるようになりました。現在では世界中で多くの人々がStable Diffusionをベースにしたサービスを利用し、高品質な画像を生成しています。そのインパクトは、前述したようにイラストレーターや写真家の仕事にも大きな影響を与えるほどです。

その普及速度は、これまでの人工知能とは比較にならないほどであり、人工知能の指数関数的な成長の証と言えます。今後は画像生成以外の分野でも、同様の急速な進展が見られると予想されます。

人工知能の指数関数的成長については、起業家のピーター・ディアマンディスもその著作（『2030年――すべてが「加速」する世界に備えよ』NewsPicksパブリッシング、二〇二〇年）で、「コンバージェンス（convergence）」という概念を使いながら述べています。

コンバージェンスをわかりやすくいうと、「これまでに蓄積されたテクノロジーが組み合わさり、適切なタイミングのもと、適切なコスト、適切な規模で、新しい破壊的イノベーションを指数関数的に生み出すこと」と説明できます。

コンバージェンスの例としては、まずドローンの急速な普及が挙げられます。ドローンの原理は四枚のプロペラで姿勢を制御するというシンプルなものです。さまざまなセンサーがついたラジコンのようなもので、それほど真新しいものではないように思えます。それではなぜドローンは一気に世の中に広まったのでしょうか。その背景にはスマートフォンの発展があります。
スマートフォンは、バッテリー、加速度センサー、ジャイロセンサー、GPS、カメラ、軽量なコンピューターといったテクノロジーを集約したデバイスです。お察しのとおり、これらの部品はすべてドローンに流用できます。さらに、スマートフォンの普及に伴い、これらの部品は安価で入手できるようになっていきました。そして、空飛ぶロボットは空からの撮影や施設の点検、物の運搬、軍事において大きな需要があります。実現するためのテクノロジー、量産性、ニーズが組み合わさった結果、ドローンの急速な普及が実現したのです。

新型コロナウイルスのワクチンが、なぜあれほどのスピードで量産できたかという謎もこれで説明できます。モデルナ社やファイザー社の新型コロナウイルスワクチンは、mRNA(エムアールエヌエー)ワクチンという種類です。これはもともとビオンテックというベンチャー企業などが、がんのワクチンをつくるために研究を進めていたものでしたが、新型コロナウイルスが発生したため、急遽(きゅうきょ)その方向性をウイルスのワクチンに切り替えたという経緯があります。テクノロジーの下地と世界的なニーズ、さらに量産と流通のインフラが揃(そろ)ったことで、ワクチンの大量生産が可能になりました。

コンバージェンスは今後もあらゆる分野で起こり、世界を変えていくことでしょう。人工知能も例外ではありません。

汎用的な人工知能が世界中でニーズがあることは間違いありません。そしてChatGPTやStable Diffusionなど、テクノロジーの下地も整いつつあります。世界中に爆発的に広がっていくための閾値をまさに一歩踏み越えたような状況にあるように思えます。私たちはいままさに、シンギュラリティの入り口に立っているのかもしれません。

人工知能を代表とするテクノロジーが爆発的な発展を遂げる新しい世界に向けて、私たちはいまの状況をどう理解し、何を考えていくべきなのでしょうか。大事なことは、この技術的な発展がこれからさらに加速して進んでいくということです。この技術の劇的な進展が人々の生活や仕事、そして社会全体を変化させるのは避けられない現実です。その変化に抗うのではなく、楽しみながら新しい価値観を受け入れていくことこそが、この人工知能の時代をしなやかに生き抜く秘訣ではないかと私は思います（第四章以降で改めて詳述します）。

「単目的最適化問題」の応用

人工知能によって、世界はこれからどのように変わっていくのでしょうか。

現在の人工知能は、大量のパラメーターを調整することで一つの指標を追求するという原則に基づいてつくられています。専門的な言葉で言うと、追求すべき指標を「目的関数」と呼び、パラメーターを調整することを「最適化」と表現することはすでに述べました。つまり、現在の人工知能は、一つの目的関数に対する最適化問題（「単目的最適化問題」といいます）を解いてつくられていると言えます。

ディープラーニングや機械学習など、あらゆる人工知能の技術は、この「最適化」のメカニズムの上に成り立っています。例えばChatGPTのもとになったGPTは、次のテキストを予測する精度が目的関数で、これをよくするために大規模なパラメーターを最適化することでつくられています。GPTに、ユーザーが望む答えを出力する精度を上げるように学習機能を加えたものがChatGPTです。

画像生成系人工知能の「Stable Diffusion」も同様の概念に基づいています。ざっくりとした説明になりますが、この人工知能の学習過程では、クリアな画像にノイズをどんどん加えていき、ノイズ付き画像を生成します。そして、ニューラルネットワークによってノイズを加える前の画像を復元させるのですが、その復元精度を目的関数とし、その精度を上げるために大規模なパラメーターを最適化することでつくられています。

ほかにも、単目的最適化問題で表すことができる人工知能の応用がたくさんあります。面白い応用例として、Google（グーグル）の単眼カメラによる深度推定があります。Googleの単眼カメラは、一台のカメラだけで部屋の中の物体の位置を三次元で把握することができる技術です。カメラが二台あれば人間の眼のように立体視ができるので、原理的に空間を把握することは可能です。しかしカメラ一台では人間と同じ仕組みで奥行きを把握することはできません。一体どのようにして実現したのでしょうか。

Google は YouTube などにアップされた多くの一人称視点動画（登場人物やモノの視点で撮影された動画）を学習させ、次のフレームで物体がどのように映るかを予測させました。次に何がどのように映るかを予測できるということは、カメラの正確な座標と三次元空間の中に物体がどのように置かれているか、これら両方を正確に把握している必要があります。したがって、次のフレームで何がどのように映るのかを正確に予測できることは、単眼カメラで三次元空間内の物体の配置を正確に把握することにつながるのです。問題をうまく設定し、予測精度という目的関数を最適化することで、単眼カメラだけで空間を把握したり、深度を推定したりすることを可能にしました。

ＧＡＮ（敵対的生成ネットワーク）も、単目的最適化問題を追究することで興味深い結果を生んだ例です。

ＧＡＮは、画像やイラストの偽物をつくることができます。その仕組みは学習元のデータと区別できない偽物をつくる人工知能と、偽物と本物を見分ける人工知能の二つを競わせて学習させることで実現しています。一方の人工知能はリアルな偽物をつくることを目指し、もう一方はより正確に偽物と本物を見分けることを目指すというわけです。これらの指標は「相手を騙(だま)した割合」と「偽物を見破った割合」で数値化できます。それぞれがそれぞれの目的関数を追求するためにパラメーターの最適化を行った結果、驚くほど精巧な偽物をつくり出すことが可能になりました。

単目的最適化問題で表現できる課題に対しては、人工知能の能力が人間を上回りつつあります。単一の目的を徹底的に追求し、そのためのパラメーターを徹底的に調整することで、人間の想像を超える結果を生み出すことができるのです。

大規模言語モデルも、やっていることは次のテキストの予測だけですが、この単目的を究極まで追求したら、一体何が起こるのでしょうか。

興味が尽きない大規模言語モデルの今後

現在の大規模言語モデルはインプットもアウトプットもテキストですが、これはあくまで通過点に過ぎません。大規模言語モデルはこれから何ができるようになっていくのか、興味が尽きません。

近い将来、大規模言語モデルは、さまざまなタイプのデータを取り扱うことができるようになると思われます。カメラ画像、音声、リアルタイムのセンサーデータなど、これまで以上に多様な情報源に接続できるようになることでしょう。リアルタイムの入力が人工知能につながると、どんなことが実現するのでしょうか。ChatGPTなどは人間からの問いかけに対するリアクションが主でしたが、リアルタイムのデータと接続することで、人間からの問いかけだけでなく、さまざまな情報をもとにリアルタイムで「自発的に行動をとる」ことができるようになります。つまり、人工知能の動作する時間軸が現実の時間の流れと同期するのです。

ChatGPTに代表される大規模言語モデルは現時点（二〇二三年八月）でも、すでに高度な能力を発揮しています。抽象的な問いかけに対して高度な（抽象的な）回答を提供し、またプログラミングもこなせます。つまり、抽象的な問いに抽象的な回答を提供するだけでなく、それを具体的な手続きに組み立てることができるのです。

大規模言語モデルはリアルタイムのデータ入力をすることで、世の中のさまざまな装置を制御するようになっていくことでしょう。その中には当然、ロボットも含まれます。

人工知能がマルチモーダルな入力から、世界中に物理的に存在するさまざまなものを制御するようになり、直接人間社会に干渉する時代は目前に迫っています。

その一例として、Googleのロボット開発を紹介しましょう。

「フレーム問題」と「記号接地問題」を乗り越えたロボット

Google とロボット開発会社の Everyday Robots は共同で、ヘルパーロボットを開発しました。そのロボットは、人間の日常生活の一部を担うよう設計され、現実世界の状況を理解し、人間の抽象的かつ曖昧な指示を受け入れ、それに応じた行動をとることが可能です。

このロボットは、PaLMという言語モデルをロボットに接続する研究の一環として開発されました。人間が音声で指示を出すと、これらの指示は自然言語として入力され、ロボットはこれを解釈してアクチュエーター（動作部品の制御装置）を介して具体的な行動を出力します。

例えば、オフィス環境で「飲み物をこぼしたから拭くものを持ってきて」と指示すれば、ロボットは部屋からスポンジを見つけて持ってきます。また、「小腹が空いたから何か持ってきて」といえば、スナック菓子を持ってきてくれます。

このヘルパーロボットは、人工知能とロボット技術の進歩を象徴する存在であり、それらが日常生活のさまざまな側面でどのように役立つかを示す鮮明な例です。これまでの人工知能研究から考えると、このロボットが行っていることは、信じられないほどの進歩を示しています。とくに、人工知能の「フレーム問題」を解決しているように見える点が注目に値します。

フレーム問題とは、無限とも思える可能性の中から適切な答えを見つけなければならない場合において、関係のある事柄の組み合わせだけに注目して解決策を探索することが難しいという問題です。「部屋に仕掛けられた爆弾を処理する」という問題を考えてみましょう。解決策としては専門家による爆弾の無力化や、遠隔操作ロボットで爆弾を安全なところまで運び出すなどさまざまなものが考えられます。最適な解決策を選ぶには、問題のフレームを適切に設定することが求められます。

これまでの人工知能は、決定されたフレームの中で最良の解答を見つけることが主な役割でした。将棋であれば将棋のルールの中で可能な手の組み合わせをすべて探索し、最良の手を選ぶことができます。

しかし、現実環境での問題解決になると、このフレームの範囲をどう定めるかが問題となります。ここでいう「フレーム」は、問題解決のためのすべての考えうる選択肢や可能性を内包する範囲、つまり「視野」を意味します。

「爆弾を処理する」と言っても、何が爆発に影響するかはわかりません。時間が影響するのかもしれないし、振動が影響するかもしれません。そういった要因を考え出すと問題のフレームはどんどん大きくなるため、解答を見つけるための探索範囲も広がり、探索にかかる時間も増大します。最終的には現実的な時間内に最良の解答を見つけることが難しくなり、処理する前に爆弾が爆発してしまいます。

別の例として、ジュースをこぼしたときにロボットは何を持ってくるべきでしょうか。モップ、雑巾、スポンジ、ティッシュペーパーなど、多くの答えが考えられます。また部屋の中にそれらがあれば理想的ですが、なければどうするのでしょうか。お店に買いに行くのでしょうか。お店が近くにあればいいのですが、遠方まで行かなければならないとしたら、どうするのでしょうか。

何をどこまで考えるべきなのか、考える範囲をどうやって限定するのか。人間が無意識に行うこれらの処理は、ロボットにとっては大きな問題となります。

そもそもロボットが現実世界の状況を正しく理解するには、現実世界にある「もの」や「こと」「概念」などを「言葉」や処理上の「記号」に正しく結びつける必要があります。これを人工知能研究では「記号接地問題」と呼びます。カメラから得られた画像を手がかりに現実世界の状況を認識して動作手順を組み立てるため、これらを記号で整理するのです。

画像認識の精度はずいぶんと向上してきましたが、現実世界を理解するために必要な記号接地問題の解決糸口は長年見つからない状況でした。

フレーム問題と記号接地問題、どちらも人工知能研究において難問とされてきた問題ですが、Google のロボットはこれらの問題を見事に解決したように見えます。「ジュースをこぼしたので何か掃除するもの持ってきて」という言葉による指示に対して、このロボットは大規模言語モデルを利用することで現実世界にスポンジがあり、スポンジを持っていくということが解決策になると理解したうえで、「スポンジを探す」「スポンジをとる」「スポンジを持っていく」「スポンジを渡す」といった一連の動作を計画し、ロボットを動かすモーターを適切に制御してスポンジを持っていくことができます。

これらの問題を解決し、人間の指示に対して適切に反応するロボットの開発は、人工知能研究の歴史を考えれば、実に驚異的な進歩です。私たちが普段当たり前に行っているような行動でも、人工知能にとっては非常に難しい課題であり、その課題を解決しているGoogle のロボットは、人工知能の新たな可能性を示しています。

人工知能はすでに、人間が生きる現実の世界とのつながりを深め、リアルな世界へと足を踏み入れています。近い将来には、私たちのスマートフォンや家、さらにはビル全体が、人工知能によって制御されはじめるでしょう。それは単純な制御ではなく、人間の曖味な指示さえも理解し、それに従ってロボットが軽作業に従事するという世界です。もう目の前に迫っているといっても過言ではありません。

そのような世界が近い将来に現実になるとすれば、私たちはいくつかの問いに直面します。「人の仕事とは何か」「人がしなければならないことは何か」、さらにそれは哲学的ともいえる「人は何のために存在するのか」といった問いにもつながっていきます。

ここまで、現時点での人工知能の仕組みや能力について説明してきましたが、ではその能力と共存していくことになる私たちは、どのように考え、行動していくのがよいのか。次章からは、それらのテーマを組上(そじょう)にのせ、読者の皆さんと一緒に考えてみたいと思います。

第四章

人工知能との「協働」シナリオ

――「強い人工知能」と「弱い人工知能」

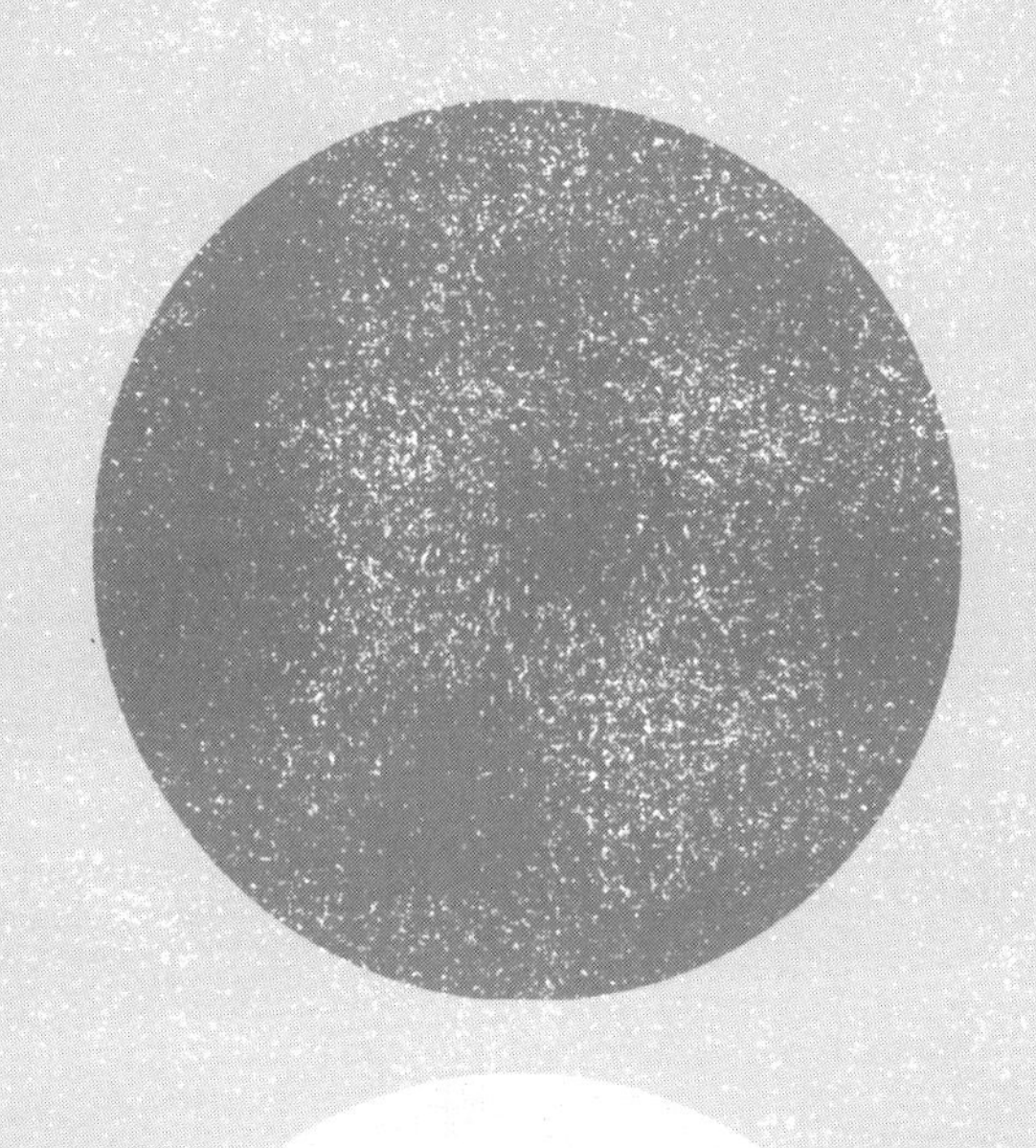

人工知能が人類に勝利した日

一九九七年、私が学生として大学で人工知能の研究をしていたころ、米ＩＢＭのコンピューター「ディープブルー（Deep Blue）」がチェスの世界チャンピオン、ガルリ・カスパロフに勝利し、世界中で大きな話題になりました。チェスは人工知能が人間の知能に迫れるかどうかを試す試金石として使われてきたこともあり、当時は「人間がついに人工知能の軍門に下った」という論調のニュース記事が溢（あふ）れていたように思います。

ディープブルーのアルゴリズムは、人間に手作業で作成された評価関数によって一秒間に二億手の先読みを行い、その中で優れた手を見つけるというものでした。評価関数というのは、指し手がどのくらい有効であるかを導く数式で、カスパロフの過去の棋譜（対局の記録）などをもとにつくられたものです。この評価関数を用いることで、ディープブルーは列挙できる手筋から最も効果的と考えられるものを導き出し、カスパロフに勝利したのです。

ＩＢＭ陣営にはチェスのエキスパートと人工知能のエンジニアはいましたが、世界チャンピオンのカスパロフより優れたチェスプレーヤーはもちろんいませんでした。それにもかかわらず、彼らはアルゴリズムを設計し、コンピューターと協働することで、世界チャンピオンを破ることができたのです。私は当時まだ大学生でしたが、とても衝撃を受けたことを覚えています。人工知能とコンピューターを使うことで、人間だけでは解決できない問題の答えを見つけられるのではないかと思いました。

重要なことは人工知能がチェスで勝ったことではなく、それが示す可能性です。私たち人類が直面している課題は多岐にわたります。気候変動、食糧問題、戦争、医療など、一人の天才がどれだけ頑張っても乗り越えることのできない問題が山積しています。だからこそ、ディープブルーの勝利は、人工知能と人間が手を組むことで、将来これらの困難を乗り越えられる可能性を示していると思えたのです。それはまさに、エポックメイキング、つまり新たな時代の幕開けを予感させる出来事でした。

将棋でも囲碁でも

チェスだけでなく、ボードゲームにおいては、人工知能と人間との勝負はついています。囲碁と将棋でも人工知能が勝利したことは、多くの人が知るところだと思います。

将棋の世界では、二〇一三年に人間と人工知能の勝負である「電王戦」で、人工知能が現役のプロ棋士に初めて勝ち越しました。当時のトップ棋士だった羽生善治（はぶよしはる）九段との直接対決は実現されませんでしたが、情報処理学会が示すデータではトッププロとの実力は互角で、統計的に勝ち越す可能性が高いという結論が出されていました。

人工知能が人間に勝利するまで最も時間がかかったのが囲碁です。

囲碁の人工知能としては、Google（Alphabet）傘下のDeepMindが開発した「アルファ碁（AlphaGo）」が有名です。アルファ碁は二〇一六年、世界第三位の韓国のプロ棋士に勝利したことで一躍有名になりました。人工知能にとって囲碁は将棋よりも難易度が高いため、大方の研究者は、人工知能がトップ棋士に勝つには将棋からさらに十年くらいかかるだろうと予想していました。しかし実際には、将棋での勝利から三年ほどでプロ棋士に、その翌年には囲碁の世界チャンピオンに勝利しました。

人工知能はどのような仕組みで、囲碁に強くなっていったのでしょうか。仕組みを簡単に説明します。いまの盤面から自分の勝つ確率、相手の勝つ確率を正しく予測する仕組みは「評価関数」と呼ばれるもので、評価関数が設計できれば、次にどこに打てば自分の勝率が最も上がるのかを計算することができます。この勝率の計算をどれくらい上手にできるかで囲碁の人工知能の強さは決まってきます。

アルファ碁は最初、人間が打った棋譜を学習していきました。それが終了すると、今度はアルファ碁同士で対戦することで学習していきました。この段階で世界チャンピオンを破るほどのレベルに達していましたが、さらにその後のバージョンでは最初から人工知能対人工知能の棋譜だけで学習し、人間の棋譜は一切必要としないという進化を遂げています。ここまで来ると人工知能同士の対戦で無尽蔵に学習できてしまうため、人間がどんなに頑張っても追いつけないレベルにまで達してしまいます。

対戦したプロ棋士によれば、人間が囲碁の盤面の特定の領域ごとに白黒をつけていくのに対し、アルファ碁はまるで複数の手があるかのように、すべての領域で同時に対局を進めているように感じたそうです。これはアルファ碁が人工知能同士で対戦し学習したことで、人間の理解を超えるレベルに達したことを示しています。

新たな楽しみ方が生まれ

将棋と囲碁では、人間は人工知能に負けてしまいましたが、だからといって、人間が将棋や囲碁を楽しめなくなったかというとそんなことはありません。なぜこの話をするかといえば、今後の人工知能と人間の関係を考えるうえで示唆的であるからです。

将棋は盤面の優勢を競うだけの競技ではなく、人間の棋士同士の駆け引きやそれぞれのドラマを含めて楽しむ競技です。人工知能が勝利したところで、その魅力に変わりはありません。むしろ、将棋界に新たな風を吹き込んで楽しみ方を増やしています。人工知能を活用することで、将棋の形勢を数値化して明確に示すことが可能となり、観戦する際の新たな楽しみ方として定着しました。また、史上最年少で七冠を達成した藤井聡太（ふじいそうた）九段がトレーニングツールとして人工知能を利用していることは有名です。

チェスの世界では、人工知能が勝利したのちに、「フリースタイルチェス」という新たな競技スタイルが生まれました。各プレーヤーは人工知能を使いながらチェスをプレーすることができるというもので、人工知能のアドバイスを参考に自分で打つ手を決めるプレーヤーもいれば、コンピューターに任せきりでプレーする選手もいます。興味深いのは、コンピューターに任せきりでプレーする選手はほとんど優勝できず、強い選手は人工知能と協働しているということです。

映画や小説の影響からでしょうか。人間と人工知能の関係というと、対立構造を想像してしまう人が少なくないようです。しかし実際は、対立ではなく、ボードゲームの世界で見られるような、人間と人工知能が「協働」する未来が待っていると私は考えます。単独の人間や単独の人工知能では達成できないことを、協働することによって達成する未来です。

人間と人工知能の関係をゼロサムゲームで考えてしまうと、一方が得をして他方が損をする対立構造にならざるをえません。しかし少し視点を変えれば、人工知能は脅威ではなくなります。これは人間同士の対立構造と同じです。

この先、人間と人工知能が協働する社会が実現すれば、さまざまな問題解決が進んでいくことでしょう。

人間が勝つ可能性も

囲碁や将棋、チェスの競技において、人間にまったく勝ち目がないかといえば、実はそんなことはありません。人工知能にも盲点があります。人工知能が学習していない領域や不正確な領域があれば、そこを突くことで人間が勝つ可能性もあります。

例えば、囲碁の盤面のパターンは10の３６０乗以上に及びます。これは宇宙に存在する原子の数を合計したよりも多い数です。いかに高性能な人工知能が自己対戦を通じて学習しようと、そのすべてのパターンで最善手を網羅することは不可能です。つまり網羅できていない領域が囲碁における人工知能の盲点となります。この盲点は、ほかの人工知能でも起こりうることです。

例えば自動運転車で、考えうるあらゆるパターンすべてにおいて事故を起こさず運転させようという問題設定でトレーニングしたとします。このトレーニングで一〇〇パーセント事故を起こさない自動運転車が実現できるかというと、おそらくそれは難しいでしょう。どこかに盲点が存在するはずです。

どれだけ学習したとしても、人間に不利益を与える可能性のある見落としは生じます。開発者の側にすれば、盲点を見つけたら穴を塞いでいくように、盲点をなくしていくことが重要な仕事です。

人間がダブルチェックによってミスを減らすように、複数の人工知能を協働させることで盲点を減らすこともできるでしょう。人間がミスを減らすためにどうするかという考え方は、そのまま人工知能にも当てはめることができます。

人工知能の進展がもたらすリスクについては、第六章で改めて解説します。

「強い人工知能」はまだ存在せず

人工知能の研究開発は、大きく二つに分けることができます。一つは世界中で必要とされるような汎用的な人工知能の開発、もう一つは目の前の課題や特化的な状況、特化的な課題解決に使われる人工知能です。人工知能の研究開発はこの二つが同時進行していきます。

それでは、汎用的な人工知能とはどういったものでしょうか。それは、どのような状況でも応用可能で、世界中で必要とされる人工知能のことを指します。いわゆる「強い人工知能」と呼ばれるものです。「強い人工知能」は人間と対等に会話し、人間と同じように考え、人間と同じレベルでコミュニケーションができる人工知能のことを指します。さらに、心や意識を持つことも含まれます。非常に人間に近い特性を持つ人工知能です。

しかし、人間のように考える人工知能をつくるのは非常に難しく、知能の本質などさまざまな課題を研究していく必要があります。そのため、あらゆるシーンで人間と同じように振る舞う人工知能はまだ存在しておらず、万能な人工知能の実現はこれからの課題となっています。

汎用的な人工知能の開発には、世界のビッグテックカンパニーが膨大な予算をかけて取り組んでいます。ビジネスモデルとしては、さまざまなサービスのベースになる人工知能として世界中に広め、コストを回収するというのが一般的でしょう。その一例がChatGPTです。汎用的な人工知能は、インターネットのプロトコルのようなもので、それ自体には特定の目的はなく、さまざまなサービスの基盤となる存在です。

汎用的な人工知能は、何を持って汎用とみなすべきなのでしょうか。この問いは「知能とは何か」という問いと本質的には同じものです。「知能とは何か」については第二章で考察したとおりです。

現在はすべて「弱い人工知能」

次に特化型人工知能について見ていきましょう。汎用的な人工知能を「強い人工知能」と呼ぶのに対し、こちらは「弱い人工知能」と呼ばれます。専門的には、現在使われている人工知能はすべて「弱い人工知能」に分類されます。特化型人工知能はその名の通り、特定の領域や課題に特化した機能を有しており、それら限られた分野においては人間の補助を担ったり、あるいは代替したりすることが可能です。

例えば、画像に何が写っているのかを認識する人工知能を考えてみましょう。この人工知能は人間のような思考を持つわけではありませんが、画像認識の精度においては人間を超えるレベルに達しています。本物の知能とは言えませんが、一部の領域では人間を凌駕するのが、いまの人工知能のイメージです。

このような「弱い人工知能」の実現に大きく寄与しているのが、ディープラーニングの発展です。ディープラーニングは、脳細胞の振る舞いをコンピューター上でシミュレートすることで、特定の入力に対する出力を学習します。どのような処理を行いたいのかによって、適切に出力の設計を行い、適切な教師データを学習させることで、さまざまな人工知能を実現しています。

特化型人工知能の応用例としては、コールセンターでの応対や法律相談の対応があります。こうした限定的な状況であれば、特化型人工知能は大きな力を発揮します。

汎用型人工知能は特定の状況に適応するものではなく、あらゆる特化型人工知能のベースになるものとして開発が進んでいくと思われます。そして特化型人工知能が低コストで実現されることで、人工知能の活用は進んでいくことでしょう。

汎用型はOS、特化型はアプリ

汎用型人工知能と特化型人工知能の関係を現代のテクノロジーに当てはめると、プラットフォームとアプリケーションのような関係といえます。プラットフォームは一種の基盤またはフレームワークです。スマートフォンやPCのOSがプラットフォームにあたります。プラットフォームはそれ自体でも機能しますが、その上にさまざまなアプリケーションを追加することで、より具体的なタスクを実行することができます。汎用型人工知能はこのプラットフォームのような存在です。

一方の特化型人工知能はアプリケーションに似ています。アプリケーションは特定のタスクに特化した機能を持ち、そのタスクの範囲内で非常に効果的です。したがって、特化型人工知能は汎用型人工知能の能力を基盤として構築され、特定の問題を解決するために最適化されたアプリケーションのような存在ということです。

特化型人工知能はスマートフォンのアプリのように、多くの企業や個人によって次々と開発されていくことでしょう。

先にも触れたように、汎用型人工知能はGoogleやMicrosoftなどのビッグテックが多大な資金を投入して研究開発を進めています。汎用型人工知能をOSにたとえましたが、ビッグテックが汎用型人工知能に資金を費やすのは、OSで覇権をとるようなものです。そう考えると、macOSやWindowsやLinuxといったOSのように、複数の汎用型人工知能が開発され、それぞれが特徴を持っているといったシナリオも考えられます。

一方で、汎用型人工知能の研究は「知能を突き詰める」という目標を共有しているため、さまざまな汎用型人工知能が登場しても、それぞれの違いはそれほど大きくないかもしれません。

汎用型人工知能はいろいろな方向性で研究が進められています。GPT-4のように大規模に進められている研究から、小型化の研究を進めている企業も存在します。

現状は人工知能の開発といえばOpenAIが筆頭的な存在ですが、今後はその状況が変わることも考えられます。国家間の競争や地政学的な要素も考慮に入れると、日本が過去に国産OSをつくろうとしたのと同じように、自国の人工知能を持つべきだという議論も出てくるかもしれません。

汎用型人工知能と特化型人工知能の関係は、あるいは人間の脳の働きに近いかもしれません。人間は、ある意味で汎用的な知能をベースとしています。私たちは社会の中で教育を受け、基本的なリテラシーを身につけていきます。教育機関を卒業後、多くの人は会社に雇われ、仕事をしていく過程で、そのリテラシーを一つの分野に特化させていきます。例えば、会計の知識を深めることで公認会計士になり、法律の知識を研究し続けて弁護士になり、また、プログラミングの知識を探求してＩＴエンジニアになるといったように。

この流れは、汎用型人工知能から特化型人工知能へと発展する過程に似ています。つまり、人工知能もまた、人間と同じように特定の分野に深化し、特化型人工知能として活躍していくことになります。

このように見ると、人間と人工知能、その進化の道筋は意外と似ていることに驚かされます。将来、人間と人工知能がどのように共存し、互いに影響を与えながら発展していくか、その視点から観察することは、新たな発見や興奮をもたらすことでしょう。

どんな課題に人工知能を活用するか

人工知能は、この先 ChatGPT のように、誰でも使えるようなものになっていきます。その流れはまさに、私たちがかつてインターネットの誕生を目の当たりにしたときと同じようなものです。インターネットが初めて社会に登場したとき、その可能性を十分に理解し、どのようなサービスが実現可能になるかを予想することは困難でした。せいぜいが、メールをやり取りしたり、ウェブサイトをめぐるくらいだったでしょう。

それがいまでは、私たちの生活を変革し、多種多様なサービスをもたらす基盤となっています。それと同様に、汎用的な人工知能も今後、新たな基盤として多くの可能性を開き、私たちの生活を一変させることでしょう。

ただし、汎用的な人工知能がどれほど優れていても、それだけをシステムとして評価することは意味がありません。本当に重要なのは、その人工知能をどのように活用し、ほかと差別化するか、そして特化型のシステムを構築するために必要なリソースや技術、知識をいかに収集するかということです。私たちが人工知能を使いこなし、その性能を最大限に発揮させるためには、これらの要素が鍵となります。そうした努力を通じて初めて、高度なパフォーマンスが期待できる特化型のシステムが生まれるのです。

特化型の人工知能には、各ドメイン特有のデータや知識が必要となります。この場合のデータとは、人工知能の学習に使うための固有のデータです。オープンにされているデータだけで十分な能力の学習が行えれば話は早いですが、実際にはオープンにされていないデータ、もしくはそもそもデータ化されていない暗黙知(あんもくち)のようなものに重要な知見が含まれていることは十分に予見されます。そのようなドメインに対処できるかどうかは、データが鍵を握っていると言えるでしょう。

現代社会においてもデータは重要なファクターですが、人工知能時代にはより重要性が増していくことでしょう。データの差別化によって自身の価値の向上やビジネスの差別化を実現することができます。これからのビジネスではデータの活用と差別化がより一層重要となるでしょう。

現在はChatGPTのような汎用性の高い人工知能をつくれること自体が、驚くべき進歩と言えます。今後、大規模言語モデルをベースとした、さまざまな特化型の人工知能が登場してくるであろうことは、私が言うまでもないでしょう。

大規模言語モデルは特定の調整によって、特定の分野に特化した性能を発揮する能力を持っています。これにより、企業や個人は自身の特定のニーズに応じて大規模言語モデルを活用することが可能となるのです。例えば、カスタマーサポートや翻訳、コンテンツ作成といった多岐にわたる業界での応用が期待されています。そして、その結果として新たなビジネスの機会が創出されることも予見できます。

こうした人工知能の進歩により、今後「どのような課題に人工知能を応用していくか」が重要性を増してきます。とくに、一つの正解が存在する課題ではなく、人それぞれの価値観に合わせた正解があるような課題に対して、人工知能を応用していくことを検討していくべき時期にきているように思います。

例を挙げれば、個々人に合わせたファッションを提案する人工知能、人間の気持ちを読み取って雑談を一緒に楽しめる人工知能、あるいはゲームで遊び相手になる人工知能などが考えられます。

これらの課題では、一律の正解を定義することは困難であり、一人一人の人間に着目した課題を立てる必要があります。人工知能を使う人それぞれの価値観に合った、心地よい正解が多様に存在するイメージです。一人一人の心を読んで臨機応変に対応していく人工知能が実現できれば、私たちの暮らしは一変することは間違いありません。私は研究者として、非常に抽象的で明確な答えがない課題にこそ、人工知能を役立てたいと考えています。

毒を見分ける人工知能を

大量のデータを必要とする人工知能がはらむリスクとして「データ・ポイズニング」があります。これは、人工知能の性能を故意に落とすための攻撃方法で、不正確な情報や嘘、さらには人工知能が機能しなくなるようなデータを生成し、学習過程へ紛れ込ませる行為を指します。今後、人工知能がさまざまなセキュリティに活用されていくことを考えると、人工知能時代のセキュリティ攻撃といえます。

人工知能が取り扱う膨大なデータ群の中におかしなデータが混じっているとしたら、人工知能自身の自己学習能力によって人工知能はそれを識別できるでしょうか。入ってきたデータが毒かどうかを見抜くためには、そのデータが毒かどうかをすでに学習済みであることが求められます。毒かそうでないかを見破るための学習がしたいのに、それをするためには学習済みの人工知能が必要という、「鶏が先か卵が先か」の問題になってしまいます。

画像認識におけるタグ付けの問題と一緒です。人工知能にある物体を認識させるには、物体にタグ付けをして学習させる必要があります。タグ付けは面倒な作業であり、そのために人工知能にタグ付けを任せたいと考えるかもしれません。しかし、人工知能が自分でタグ付けを適切に行うには、人工知能が対象について学習済みであることが求められてしまいます。

この問題を解決するには、物体が何であるかは認識できなくとも、何らかの観点からその物体がほかのものとは違うことを見分ける人工知能が必要となります。

データ・ポイズニングによってどのような問題が起こるのか、またそれをどうやって防御すべきか。私たちはまだ明確な答えを持っていませんが、これからの人工知能の進歩において避けて通れない課題です。私たちが人工知能と「協働」するためには、どうしても必要なテクノロジーです。

現時点でデータ・ポイズニングを防ぐための明確なアイデアを示すことはできませんが、一つの観点として、人がつくり出すデータを明示的に常に取り入れ続けることで人工知能自身がデータに対する違和感や不信感を持てるような仕組みを考えることができるかもしれません。

例えば現在のインターネットには、フェイクニュースを含め出所不明な不確かな情報も溢(あふ)れています。それらの不確かな情報を安易に信じてしまう人もいますが、高い教養を持ち世の中に深い関心を持って賢く情報やニュースに接している人は、フェイクニュースや不確かな情報を自らフィルタリングして取捨選択できる能力を持っています。人がそのようなことを成し遂げられるなら、人工知能でも同じようなことができるのではないかと楽観的な期待を持っています。

第五章

新たな価値の出現と富の再配分

――人工知能時代のパラダイムシフト

シンギュラリティは夢物語か

少し前までは、人工知能は人間の能力には遠く及ばない存在として認識されていました。人間が人工知能に取って代わられる、ましてや人工知能と人間が対立することに恐怖感を真剣に覚える人もほとんどいませんでした。それはＳＦの世界の話か、一部の悲観的な人々の間での話であり、大多数の人々にとっては、人工知能が将来どのような存在になっていくのかについては、現実とは切り離された絵空事のように感じられていたでしょう。しかしいま、非現実的だと思われていた世界の輪郭が現実味を帯びてきています。

その変化に最も寄与したのがChatGPTの出現です。その能力は、人間のそれに迫るほどのもので、多くの人々が驚きとともに微かな不安を覚えることになりました。

こうした人工知能の進歩は、シンギュラリティ（技術的特異点）という概念を再びクローズアップさせました。シンギュラリティとは、人工知能の知能レベルが人間の知能と同等になる、あるいはそれを超える点を指します。人工知能がそのレベルに達すると、人工知能自身が人工知能を開発することが可能となり、その思考速度は人間をはるかに上回るでしょう。その結果、人間がついていけない速度で人工知能開発が進む可能性もあります。

シンギュラリティについては議論があり、そのようなことは起こらないと考える人も少なくありません。しかし、最新の画像生成系人工知能や大規模言語モデルの能力を見ると、シンギュラリティはもはや夢物語ではないように思えてきます。

シンギュラリティが実現すれば、多くの仕事は人工知能によって行われるようになると予想されます。その結果、人間が働く必要性がなくなった社会を想像すると、教育、仕事、規範、法律、思考、そして生きる意義について大きな価値観のシフトが起こることでしょう。

こうした進展を受けて、人間と人工知能との新たな関係性が問われるようになってきました。どのような関係を築くべきか、その議論がますます重要となります。

本章では、人工知能がこのまま能力を向上させ、人間の現実社会に深く入り込んだときに、私たちの価値観や社会にどのような影響をもたらすのかを考えてみたいと思います。

「富む人々」だけで社会は成立するか

社会に生じる変化とは、何といっても人々の行動や思考の変遷、その背後にある経済活動の動向から浮かび上がるものです。その中で、とくに注目すべきなのが、経済学者トマ・ピケティが提唱した格差拡大の法則と、それを覆す可能性を持つ人工知能の進化です。

ピケティの法則は、資本収益率（r）が経済成長率（g）よりも大きければ、富の集中が生じ、格差が拡大するというものです。これは「r>g」という形で表されます。歴史的に見ると、ほぼ常に資本収益率は経済成長率を上回っています。これが意味するところは、富を持つ人々が、その富をもとにさらに多くの富を得ることになり、結果として、格差は永遠に縮まらないということです。

しかし、この法則が永遠に通用するとは限りません。人工知能の進化によって変わる可能性があるからです。もし人工知能が人間社会に割って入ってきたとしたら……。

例えば、人間のできることが人工知能でも可能な範囲にとどまる場合、結果として、人間の仕事の価値は人工知能が提供できる価格まで下がるかもしれません。

私たちは日常的に「あることについて調べて意思決定する」といった行動を行っています。そういったタスクは、①検索エンジンで調べる、②結果を選別しまとめる、③それを参考に決める……といったかたちで行うことが多いですが、ChatGPTなどの大規模言語モデルはこれらの作業、①と②を代替してしまう可能性があります。また人間の仕事だけでなく、Googleなどのインターネット上で発展した検索サービスのあり方まで根本的に変える可能性すらあります。

もちろん、現時点では大規模言語モデルの性能はまだ不十分で、間違いを含んだ回答をすることもありますが、人工知能の進化速度を考えると、近い将来、人間と同等のレベルに到達する可能性は十分にあると思われます。

一方で、人工知能が及ばない領域も存在します。とくに、非常にニッチな分野での特異な才能は人工知能にはカバーできない領域です。芸術や音楽、科学、スポーツ、ビジネスといったそれぞれの分野で特異な才能を持ち活躍する人々の価値は、人工知能の普及とともに下がるどころか、相対的に上がっていくことでしょう。そして、世の中の富もこれらの人々に流れていくことは想像に難（かた）くありません。

しかしながら、この事実は新たな富の偏在をもたらします。「人工知能ではできないことをできる人」と「そうでない人」とのあいだで、巨大な貧富の格差が生まれうるのです。富の分布がいまとは大きく変わる可能性があります。

この先、人工知能の進化がさらに進むと、人工知能に仕事を奪われる範囲はどんどん拡大していきます。しかし、「人工知能ではできないことをできる人」だけが働くことで、果たして社会は成り立つのでしょうか。人工知能に取って代わられた人々が社会からはじき出されることが起これば、社会が成り立たなくなる可能性があります。

富を生み出す人々だけではなく、消費する人々も社会を動かす重要な役割を果たします。その構造が崩壊すれば、社会全体の機能も停止してしまうでしょう。

こうした問題を解決するための一つの答えが、ベーシックインカムかもしれません。

「働かない人生」をどう考えるか

人間が暮らしていくためには、何はともあれお金が必要です。しかし、人工知能の進化によって多くの仕事が代替されてしまうとすれば、どんな社会が待っているのでしょうか。全人類が人工知能にはできない仕事ができるかというと、それは無理でしょう。そのような社会において不可欠なのがベーシックインカムです。

ベーシックインカムは、すべての市民に対し、無条件で一定の生活費を提供する社会保障制度です。この制度を日本で実現するためには、新たな富の再分配の仕組みなど、さまざまな議論が必要となるでしょう。

ここで肝心なのは、この議論は人類の生存にも深く関わる社会制度の問題であり、人工知能には決められないという事実です。富める者と富まざる者の差がこれまで以上に拡大したら社会はどのようになるのか、人類にとって富の偏在はどこまで許容できるのか。それは私たち人間が答えるべき問題であり、しかも答えは一つではないでしょう。こうした判断にも人工知能のサポートを利用することは十分に考えられますが、最終的な決定は人間自身が行うことになります。

そのためには、「働かないこと」をどう考えるか。働くことが当たり前の時代が長く続いてきたので、働かないことに罪悪感を抱く人も少なくないでしょう。こうした価値観も、大きく変わることになります。

これまで、生きるために必要に迫られて働くことが当たり前であり、働かなくても生きていけるという価値観は多くの人にはピンときません。しかし、いまでも世の中にはすでに十分な富を持っていて、仕事をしなくても生きていける人は一定数います。ただ、それらの人がまったく仕事をしないかというとそうではないはずです。

経済的には自立しながら、自己実現や生きがい、社会貢献のために働くことに意義を見出す人もいるでしょう。その人たちにとって、働くことと遊び、趣味の垣根はなく、自分の人生を豊かにするために他人や社会に貢献することを自ら行っているはずです。

これまでごく少数の人しかそういう状況に置かれていませんでしたが、ベーシックインカムによってほとんどの人が生きるためではなく、自分の存在の価値を高めるために働くということになるかもしれません。

「新たな価値」の創出

人工知能に代替される仕事として、例えばコールセンターの窓口業務や、プログラミングの一部の作業は、すでに人工知能によって代替される方向に進んでいます。しかしながら、これらの仕事もすべてが人工知能に代替されるかというとおそらくそうはならないでしょう。人工知能が大多数の仕事を引き受ける社会において、「あえて人間が仕事をする」ことで価値が生まれる可能性は十分にあります。

人が価値を感じる要素は経済合理性だけではありません。ハンバーガー一つとっても、その商品に求める要素は人それぞれです。価格を重視する人もいれば、味を重視する人もいるでしょう。また、同じ人物でも状況によって価値観は変わります。手元にお金があれば高級なハンバーガーを選び、懐が寂しいときにはコストパフォーマンスを重視するかもしれません。

経済合理性だけを追求しても人工知能には敵(かな)わないため、経済合理性以外の要素で、人が価値を感じることが重要になってくると考えられます。

当然、人工知能と人間ではコストが大きく異なるため、サービス価格に大きな違いが出ることでしょう。消費者がどちらを選ぶかはケースバイケースですが、少なくともそういった社会においては、人間が提供するサービスが人工知能と同等のサービスでは消費者は納得しないでしょう。

環境問題に企業がコストをかけるように、人工知能にできる仕事を「あえて人間に任せる」ような動きも出てくるかもしれません。人類が存続するためには、経済合理性以外の部分も重要であるからです。

消費者の行動は、時代に合わせて変わってきました。かつては価格が選択基準として大きなウェイトを占めていましたが、いまでは商品の背景にある生産過程など価格以外の面も重要視されています。多くの仕事が人工知能に代替された世界では、もっと大きな変化が見られるかもしれません。

いずれにしても、いまと同じ世界が続くことはありません。私たちは、新たな時代に合わせて新たな価値を見出し、策を講じていくことになります。

技術ではなく「人間の問題」

人工知能は二十四時間稼働できるので、人間の働き方そのものが大きく変わる可能性はあります。それ以前の問題として、現時点でも、人間がする必要のない仕事がたくさんあります。機械的にハンコを押すだけのような仕事は、人工知能の進歩を待たずに、より効率的なものに簡単に置き換えることができます。にもかかわらず、そうした仕事が残っているのは、単に技術の問題、つまりケイパビリティの問題ではなく、別の原因があります。人間の情緒や既得権益といった要素が絡んでいるとみるべきでしょう。

コロナ禍においても、多くの業務でいまだにFAXが使用され、手作業での集計がなされていた現状を私たちは目の当たりにしました。新しいデジタルツールを使用すれば、はるかに効率的に業務を行えるのは自明です。しかし、新しいシステムへの切り替えには「スイッチングコスト」という大きな壁があります。新たなシステムに移行するための初期投資や、慣れない業務に適応するための時間的・精神的な負担が大きいのです。

これは「局所最適」という概念によく似ています。山登りにたとえると、ある頂上まで登ったあと、もっと高い山があることに気付いたとします。しかしその新たな山へ移るためには、一度降りなければなりません。その労力を負いたくない人々が多いのです。「私は逃げ切れるから」という理由で、次世代へと問題を先送りする人も少なくありません。「この仕事を孫にもやらせるのか」と問えば、「さすがにそれは」と反論が返ってきます。業務の仕組みを変えるべきだという認識は多くの人が持っています。それでも、「自分は逃げ切れるから」と言って、その大きなスイッチングコストから逃れてしまう人が多いのです。

結局のところ、世代交代が起きなければ技術の進歩はないのでしょうか。もしそうだとすると、人類の寿命が延び、現役で働く期間も延びている現代社会では、新陳代謝の速度が遅くなり、技術の進歩が止まってしまうのではないかという懸念があります。優れた人工知能が開発されても、結局のところ「人間の問題」として解決しきれない部分が壁となって立ちふさがりそうです。

コンビニのキャッシュレス決済を考えてみてください。現金決済と比べて、キャッシュレス決済の効率性と速さはいうまでもありません。レジのスループットが向上し、レジ業務の時間が大幅に短縮されます。結果として、それはコスト削減にもつながります。無人レジに関しても同様の利点があります。しかしながら、いまでも現金を使い続けている人は一定数存在します。これも結局、人間側の問題であり、人工知能では解決できません。

また、「人との触れ合いが大事だ」という考えから無人レジを批判する意見も散見されます。そのような意見を個人として持つことはもちろん自由ですが、それがマスコミや社会によって美談として取り上げられることもあります。そうした現象は、新しい山よりもノスタルジックな山に留まるのがよいという雰囲気を醸しています。

こうした問題は、新興国ではなく、成熟してフレームが固まり、変化が難しくなっている先進国で目立ちます。少子高齢化が進行する日本のような国では、この傾向がさらに強まります。

電気の登場に匹敵するインパクト

一方で、いまの人工知能のレベルは電気の登場に匹敵するくらいのインパクトがあると考えています。電気が世界を劇的に変えたのと同様に、人間がどれだけ「人工知能より人間のほうがいい」と感じていたとしても、人工知能の普及によって、否応なく世界は変わっていくというのが自然の流れなのかもしれません。

コールセンターにしてみても、私たち利用者が「人間が対応してくれたほうがいい」と思っていても、コールセンターを運営する側が人工知能を導入すると決めたら、それが進行していくのは必然です。コストの観点から見れば、人工知能による自動化は圧倒的な効果が見込めるからです。

人間の能力を別の人間が完全に複製することは不可能ですが、人工知能の場合はそれが可能です。人間への教育は一人一人に対して行う必要があり、時間とコストがかかります。一方、人工知能に関しては、一つの優れたモデルが完成すれば、それをコピーして全体に横展開することが可能です。これは、人間の教育に比べて圧倒的に低コストで、経済的にもきわめて合理的と言えるでしょう。

新しい時代の到来は、新たな可能性を秘めています。私たちはその変化を積極的に受け入れ、新たな価値を見つけ出すチャンスと捉えるべきだと思います。

ロボットの活躍はいつか

今後数年のあいだに、ソフトウェアの部分では、人間が行っている作業の大部分が人工知能に取って代わると予測されます。しかし、フィジカルな部分については、まだ人間がその場を譲ることはありません。なぜなら、ハードウェアの進化にはまだ時間がかかるからです。

技術が成熟するまでには時間がかかるものですし、量産体制を構築し、販売網を築き上げ、メンテナンス体制を整えることも一朝一夕にはできません。

フィジカルな領域でロボットや人工知能が活躍し始めるのは、いつになるのでしょうか。第三章で述べた「コンバージェンス」の話を思い出してください。ロボットを量産して世界に広げる体制が整う時期は、ロボットがフィジカルな世界で仕事をすることに対するニーズがどのくらいあるのかに左右されるはずです。ロボットが量産され世界中に広がる体制が整うのはまだ時間が必要かもしれませんが、技術的な課題は必ずや解決されるでしょう。

二〇二二年には米カリフォルニア州パロアルト市の研究開発拠点で開催された「人工知能デー」において、テスラが初めてヒト型ロボット「オプティマス（Optimus）」（旧「Tesla

Bot」）の試作機を披露しました。創業者イーロン・マスクは、このロボットを将来約二万ドルで発売すると公言しています。

新規のメーカーが電気自動車を量産し、世界中で販売するなんて無謀だ、とテスラは言われ続けてきましたが、イーロン・マスクはそれを成し遂げました。そしていま、テスラはロボットの領域でも偉業を成し遂げようとしています。

テスラは一例ですが、世界がフィジカルな作業の代替を求めているなら、必ずいつの日かそれは実現されると思います。

『銃・病原菌・鉄』にあるヒント

二〇一三年ごろまで人気が長く続いたゲーム「シムシティ」をご存知でしょうか。プレーヤーは市長となり、市の運営に関わるさまざまな要素を管理しながら、市民の生活を豊かにし、都市を発展させることを目指すゲームです。その世界では、高所得者層ばかりを集めると、一見、きれいな街並みが形成されます。しかし時間が経過するとともに、街の下水処理やゴミの処理が崩壊し始め、結果として街全体が混乱に陥るのです。その原因は、街の基盤を支える労働者がいないためです。

一方で、低所得者層ばかりを集めると街は比較的安定しますが、新たな問題が生まれます。犯罪が増え、大規模な警察署や消防署が必要となるのです。これがシムシティというゲームの醍醐味であり、市長としてどちらのシナリオを選ぶか、その選択がゲームの中核をなす要素になっています。

しかしここで一つ疑問が生まれます。もし、人工知能や別の高度な技術が発展し、下水処理やゴミ処理が効率化されたとき、シムシティのようなシナリオは存在しなくなるのでしょうか。高所得者層だけを集めた街が、現実の世界で存在できるようになるのでしょうか。未来の社会は、どのように発展していくのでしょうか。

ジャレド・ダイアモンドの著書『銃・病原菌・鉄』（上下巻、草思社、二〇〇〇年）の中にそのヒントがあります。

本書は、人類の文化、社会、文明が地球上でなぜ不均等に発展したのかを説明しようとする大規模な人類史研究の成果をまとめたものです。著者のダイアモンドは生物学者ですが、生物学にとどまらず、文化人類学や言語学など、広範な学問領域の知見を駆使しながら、環境が人類の発展にどのような影響を与えたかを詳しく検証しています。

プロローグでダイアモンドは、自身が鳥類の進化を研究するためにパプアニューギニアを訪れた際の体験を紹介しています。そこでは、彼がパプアニューギニアの先住民と親しく交流する中で、ヨーロッパ人やアジア人の文明が技術的に進化し、大きな帝国を築き上げることができたのに対し、なぜパプアニューギニアの先住民の社会はそうはならなかったのかという疑問が生まれました。

パプアニューギニアの先住民は非常に知識豊富で、野生の動植物についての深い理解を持ち、また独自の社会システムを発展させていました。しかし、彼らの社会は産業革命を経験しておらず、鉄道、自動車、コンピューターなど、ヨーロッパ人が発明した技術は存在しませんでした。

ダイアモンドはこの違いが生じた理由について、人種による優劣ではないと断言します。その代わりに、彼はこの状況が地理的な偶然、環境的な条件、利用可能な資源など、偶発的な外部要因によるものであると指摘しています。

とくにダイアモンドは、特定の地域が他の地域よりも早く、より強力な文明を発展させることができた理由を明らかにするため、農業の発展に焦点を当てています。彼は、地理的な利点、環境的な利点、利用可能な資源が、農業の発展とそれに続く社会・技術的進歩に大きな影響を与えたと主張しています。

彼の見解では、東西に広がる大陸（例えば、ユーラシア）は、南北に広がる大陸（例えば、アフリカやアメリカ）よりも農業が広がりやすいとしています。これは、東西に広がる大陸では、気候と日照時間が比較的一定で、農作物の栽培がしやすいからです。

また、早期に農業を発展させた地域は、人口を増やすことができ、定住生活を始め、社会の階級制度を発展させ、労働を専門化することができました。これにより、技術的な進歩（鉄の使用や銃の発明など）が促進され、これがその地域が他の地域を征服する力となりました。

さらに、農業社会は家畜を飼うことが一般的であり、これが人間と動物の間で病気が広まる機会を増やしました。これらの病気は、人間の免疫システムが時間とともに適応することで、一部の社会では感染症に対する一定の免疫が発達しました。これが「病原菌」の要素で、これもまた、未曾有（みぞう）の疾病にさらされることなく生活していた他の社会を征服する一因となりました。

『銃・病原菌・鉄』の中心的なテーマは、環境と技術が社会の発展にどのように影響を与えるか、ということです。このダイアモンドの論理を人工知能の時代に適用してみましょう。人工知能は技術の進歩の一部であり、社会全体に対して大きな影響を与える可能性があります。そして、この技術の進歩は地理的、環境的条件からはほぼ独立しています。つまり、地理的な位置や物質的なリソースではなく、知識と技術へのアクセスが新たなパワーダイナミクスを形成することになるでしょう。

そしてそういった世界においては、これまで発展途上国とされていた国がリープフロッグ（Leapfrog: 一部の段階を飛ばしてより先進的な段階へ直接進む現象）と呼ばれる現象により大きな力を持つ可能性があります。

新興国と先進国のパラダイムシフト

先進国の社会構造は、発展の過程でつくられた数々のルールにより、堅固なフレームワークが構築されてきました。価値観、法律、規範、教育、社会のあり方といったさまざまな要素が固定化され、社会を形成しています。しかし、その硬直化は、ときには新たな発展を阻害する一因となります。例えば人工知能などの新しい技術が登場した際、それを現行の社会フレーム内でどう評価するか、使うべきか禁止すべきか、そういった議論が巻き起こります。

未来の子どもたちのため、そして社会全体のためには、既存の社会フレームに固執するよりも、人工知能の発展に合わせて社会フレームをアップデートすることが必要であることはいうまでもありません。

先進国ほど旧来のレギュレーションが足を引っ張ることがあり、逆に発展途上の国ほど新たな技術、例えば人工知能により飛躍的な発展を遂げる可能性があります。このような現象がリープフロッグです。

リープフロッグはすでに多くの地域で現れています。アフリカ地域においては、固定電話を経ずに、初めから携帯電話の普及が進みました。また、携帯電話が普及したことで、電話料金を支払うプリペイドカードの番号をお金の代わりに伝えるという独自の送金システムの普及も進みました。銀行口座を持たずに、社会に金融システムを構築することができたのです。

自動運転車の導入を考えてみると、日本のような先進国では多くの議論が必要となります。人間が運転する車と自動運転車が混在する中で事故が起きた場合の対処法などです。一方で、発展途上国の場合、新たに道路をつくり、そこに車を走らせる段階から自動運転車の存在を前提とした街づくりを進めることが可能です。同様に、いまの人工知能技術が社会システムとして利用されることを前提に、社会システムや法律、富の分配の仕組みや教育のシステムがつくられることも考えられます。

現状の日本では、例えばChatGPTなどの人工知能の存在を前提とした教育システムが設計されていないため、不正使用についての議論が必要となります。しかし、既存のフレームがなければ、最初からChatGPTを活用した教育システムを考えることも可能です。また、既存のフレームを新しくつくり替えるには学習データに関する個人情報の問題などさまざまな課題が生じます。例えば、イタリアではデータ利用の透明性を問題視し、

ChatGPTの使用を一時的に禁止したこともありました。

ことほどさように、先進国のシステムやインフラの存在が制約となり、新たな技術を取り入れるのが困難である一方で、発展途上国や新設の国のほうが制約が少ないため、新しい技術を取り入れやすい状況にあります。すでにいくつもの絵が描かれているキャンバスに新たな絵を追加するよりも、白紙のキャンバスに大きく新たな絵を描くほうが、人々の幸せを追求した社会を効率的につくり上げることが可能かもしれません。

国だけでなく、企業にも当てはまります。新しい時代においては、歴史ある大企業よりベンチャー企業のほうが高い成長性を示すことが多いのは、過去の枠組みに縛られず現在の状況に最適化できるからです。いまの時代に郵便局を新設するとしたら、おそらく高度にデジタル化されたものになることでしょう。

既存のシステムや枠組みのある「先進国」であることが発展の足枷となり、衰退してしまう可能性がある一方、いまだに成長の余地がある国や企業は、柔軟に変化し、発展していくことが可能というわけです。

揺さぶられる国家の概念

日本は他国と比較すると、伝統的な企業が長く存続する傾向にあるようです。創業二百年以上の企業数を世界全体でみると、日本が占める割合はなんと六五パーセントで、その数は圧倒的です。一方アメリカは、新たに生まれた企業やビジネスモデルに資金を投資する傾向があります。例えばアメリカの企業であるオラクルはデータベース分野を支配する大企業でしたが、いまでは時代を代表するような存在ではなくなりました。言い換えればアメリカ社会のほうが企業の新陳代謝が速いと言えるでしょう。この違いは何から来るのでしょうか。

要因はいくつか考えられますが、一つにアメリカという国自体がまだ新しい国であることが挙げられます。国家の起源は諸説ありますが、一般的には日本の国家としての歴史は二千年以上、アメリカの国家としての歴史は二百五十年程度と考えられています。アメリカは新しいものに対する制約が少なく、また開拓によって築き上げてきた歴史から、ゼロから物事をつくり上げることの有利さを理解しています。一方で、ヨーロッパや日本のように長い歴史を持つ国々では、その歴史の長さだけ既得権益も生まれていきます。そしてその既得権益を保持している人々は、新しい変化をよしとせず、なおかつその変化を阻止するだけの力も持っています。

日本においても、変化に対する拒否感が強く、根本的な変化を避ける風潮があります。それは既得権益の問題や文化的な要素などさまざまな理由からです。これらの要素が相互に影響し合い、日本の社会が新陳代謝を重視しない要因となっているのでしょう。しかし、グローバルに見れば、この世界は急速にデジタル化しています。それは国家の概念さえも揺さぶりつつあります。

ＳＮＳのユーザー数は多くの国の人口を上回っています。つまり、国境を越えたコミュニティが現実に存在し、それは一つの大きな力となっています。これまでの社会は、国や地域といった物理的なレイヤー（層）によって構成されてきました。しかし、情報の流通が急速に加速するデジタル社会では、このレイヤー自体が変わりつつあります。

その一つの可能性として、Web3（ウェブスリー）やＤＡＯ（ダオ）（Decentralized Autonomous Organization: 分散型自律組織）といった新しい技術が注目されています。ＤＡＯとは、インターネットとブロックチェーン技術を使って運営される新しい組織形態です。簡単にいえば、特定のルールや条件が設定されていて、それが満たされると自動で何かが履行されるように設計されています。この自動的な動きは、「イーサリアム」（と呼ばれるプラットフォーム）で動く「スマートコントラクト」（と呼ばれるプログラム）によって制御されています。

このように、ＤＡＯはあらかじめ設定されたルールに従って自動で動くので、人の手を介さずにスムーズに運営ができるという利点があります。

現在、このＤＡＯは、ＮＦＴ（Non-Fungible Token: デジタル上での唯一無二の所有権を証明するトークン）を所有している人々が集まり、会社のような経済活動を行う場となっています。これまでの株式会社とは異なり、その契約や仕組みはデジタル上にプログラムとして書かれており、その実行が必ず保証されるという特性を持ちます。

さらにDAOからは、「デジタル国民」という新たな概念が浮かび上がります。年金の仕組みや法律などもプログラムとして書かれ、その構成要素であるソースコードはすべて見ることができます。こうしたDAOの国では、全員がイーサリアム上で経済活動を行うことが可能となります。半ばSFのような話になりますが、そういった社会が実現すれば、ある時点でデジタル国家として独立するシナリオも考えられるかもしれません。あるいは、物理的な国とデジタルの国が別のレイヤーで共存するシナリオもありえます。

国家が必要な理由として、安全保障や財産の保護、教育や医療など社会サービスの提供など多くの理由がありますが、安全保障や医療など物理的な介入が必要なものを除けば、デジタル国家でも大抵のことが実現できる可能性があります。

デジタルの世界への移行が進めば、大国の定義や戦争の形も変わります。これまではエネルギーや石油が重要でしたが、今後は必ずしも重要ではなくなります。テクノロジーが進化すると、これまで考えられなかったような新たな国家の形が出現するかもしれません。

人類の歴史を見てみると、私たちの生活の基本的な前提が大きく変わることはほとんどありませんでした。人類の進化は、既存の状況に小さな改良を加えることで進んできたのです。しかし、人工知能技術の発展はこれを根本から覆す可能性を秘めています。

技術が指数関数的に発展したとき、私たちの生活の前提は大きく変わります。そういった世界においては、前述の「シムシティ」の安定解もまったく違うものになるでしょう。人間の代わりにロボットが働くことで、労働者のいない社会が成立するようになるかもしれません。

このような大きな変化は、現代の技術進歩のスピードを考えると十分に予測できます。近い将来に確実に起きるとはいえませんが、少なくともその下地が形成されつつあります。

第六章

人工知能が人工知能を開発する日

——研究の最前線と課題

難易度が高い「多目的最適化問題」

人工知能は現時点でどこまで「知能」を獲得しているのか、今後、どこまで進化するのか、そしてそのことによってもたらされる脅威は何か。本章では、人工知能研究の現在を紹介しながら、人工知能がより進化した世界を考えてみたいと思います。

第三章で述べたとおり、現在の人工知能は「単目的最適化問題」という単一の指標を追求する課題設定でできています。一つの目的関数を最適化するという形で表現できる課題は人工知能の得意分野であり、イラスト生成や文章生成などの人工知能も何らかの目的関数の最適化が行われた結果、高い能力を発揮するようになっています。

ただ一つの指標を追求するために膨大なパラメーターを調整することは原理的にはシンプルな問題であり、コンピューターの性能が上がればより最適化の性能は上がっていきます。

現実世界のさまざまな問題をこのシンプルな問題に落とし込むことができれば、それらの問題はいまの人工知能で解決できます。そのため、難しい問題をいかにして単一指標の最適化問題に落とし込むかが、現在の人工知能開発の核となりつつあります。

しかし一方で、すべての問題がこの形に還元できるわけではありません。そういった問題の一つに「多目的最適化問題」があります。多目的最適化問題とは簡単に言うと、複数の指標を同時に考慮しなければならないような問題です。

複数の指標のそれぞれの重要度が明らかで、単一の指標に統合できるなら、それは単目的最適化問題に落とし込めます。しかし、いろいろな指標のそれぞれの重要度が人や状況によって異なってしまい、単一の指標に統合することができない状況で、多数のパラメーターを最適化しなければならないような場合は、単目的最適化問題にはできません。つまり、目的関数間にトレードオフが存在するため、一つの目標を最適化することでほかの目標が悪化するという状況が起きてしまうのです。

具体的な例を見ながら、この「多目的最適化問題」を理解してみましょう。大学を卒業後、就職して一人暮らしをするために家を借りるという状況を考えてみてください。家探しには家賃や家の広さ、立地などさまざまな指標が存在します。しかし、すべての指標を完全に満たす理想的な物件を見つけることは難しいでしょう。広くて駅から非常に近い物件は家賃が高くなりがちで、家賃が安い物件は狭いか駅から遠い可能性があります。これらの情報を集めて物件を検討していくと、最後に残るのは、あちらが立てばこちらが立たずという候補ばかりでしょう。

このような候補を多目的最適化問題では「パレート最適解」と呼びます。一つの候補から別の候補に移る際、最低でも一つの要素が悪化する解のことです。

　パレート最適解から一つの候補を選び出すためには、どの指標をどの程度重視するかを決定しなければなりません。どの指標を重視するのかはその人自身が決める必要があります。人工知能はもちろん、ほかの人に決定を委ねることはできません。このような問題は個々人の観点や価値観に根ざしているからです。

人工知能ができるのは提案まで

　こういった決定の中で一つの選択肢を決めることを「意思決定」といいます。個人的な日常生活から、企業の戦略、政策決定に至るまで、私たちが行うさまざまな行動には意思決定が関与しています。そして私たちが直面する意思決定の多くは、多目的最適化問題にほかなりません。仕事を選ぶとき、買い物をするとき、ご飯を食べるとき、そのすべてが多目的最適化問題と言えるでしょう。それらの解答は、その人がどのような指標をどの程度重視するかにより、大きく変わってきます。

　広くて駅近の物件を選んだことで家賃が給料の半分もかかってしまう、逆に家賃が安い物件を選んだ結果、狭くて駅から遠い生活を強いられるなど、すべてはその人が決めたことで、選んだ結果はその人が負っていかなければなりません。これらの要素の優先度をどのように定め、どのようなバランスで納得感のある意思決定をするのかは、個々人で決めなければなりません。

このような多目的最適化問題は、人生のさまざまな局面で出てきます。学校選び、就職先の選定、どこに住むのか、何を学ぶのか、誰と結婚するのか、お金の使い方、食生活の選択、健康に悪いと知りつつもストレス発散のためにお酒を飲むのかどうか。これらすべてが、多目的最適化問題の具体例であり、最終的に決定するのは個々人です。

人工知能がパレート最適解を提案することは可能ですが、最終的な選択はその人自身で決めるべきものです。なぜなら、その結果に対する責任は、その人自身が負わなければならないからです。人工知能に決定を委ねる人もいるかもしれませんが、その結果が思っていたものと異なったとしても、あとで人工知能に文句を言っても意味はありません。多目的な指標があるとき、どういうバランスが自分にとっていいのかは人間自身で決める問題です。

人間が負う意思決定

一人で意思決定をする場合は、結果に対する責任が自分自身にありますが、複数人で決定を行う場合、そのプロセスは複雑になります。家族で新しい家を借りる場合を考えてみましょう。

通勤の必要がある家族は、駅近の家を希望しているかもしれません。一方、通勤の必要のないその他の家族は、広くてきれいな家を望んでいるかもしれません。それぞれの希望がある中で、全員の希望が完全に満たされる選択肢があるとは限りません。

そういった場合、どのようにしてそれぞれの意見を調整し、最終的に一つの家に決めるのか。これは家族全員が一緒に考え、対話しなければならない問題です。そしてその結果に対しては、その家族全員で負うべき責任があります。

この意思決定の難しさは、個人や家族だけでなく、もっと大きな集団である社会全体においても同様です。社会の規模が大きくなると、その複雑性はさらに増すことでしょう。

税制について考えてみましょう。高税率で社会福祉を充実させるのか、それとも低税率を維持して個人の負担を軽減させるのか。もしくは防衛費にお金をかけるのか、教育に投資するのか、それとも産業振興に注力するのか。さらには、高齢者福祉に多くの予算を割くべきか、それとも少子化対策に重点を置くべきか。これらは、すべて私たちが現代社会で直面している多目的最適化問題の一例です。

もし、すべての社会参加者が満足できるような、理想的な意思決定があればそれに越したことはありません。しかし、現実には社会のリソースは限られており、さらに未来も考慮したうえで、意思決定をしなければなりません。

利害関係が対立することもしばしばです。それぞれの立場から最適な解答を求めることは難しく、全体としてのバランスを考えることが求められます。そのため、社会全体として意思決定を進める際には、個々の意見を尊重しつつも、全体の合意が得られる最善を見つけ出すことが重要となるのです。

人工知能ができることは、私たちがよりよい決定を下すためのサポートを提供することです。しかしながら、最終的な決定を行うのはやはり私たち自身でなければならないことは、これまで述べたとおりです。人工知能に決定までを任せきってしまったとき、私たちは自分の価値観で主体的に生きているとはいえなくなってしまうでしょう。

人間がそれぞれの価値観で生きていくためには、自分は何を重視しているのかを理解し、社会はどうあるべきか、といった問題に個々人がきちんと向き合って考え、その意思を正しく表示することが不可欠です。先に挙げた家族で家を選ぶ問題も、それぞれが何を大事にしているのか、自分にとって大事なことは何なのかしっかり意思表示をして、合意形成を行うプロセスが重要になるでしょう。

私たちは民主主義社会である日本において、選挙によって自分たちの意思を表現する機会を持っています。政治の世界では、現実には実行不可能な政策は、人工知能によって見破られ、淘汰されることでしょう。しかし、少子高齢化の中で、高齢者福祉と子育て支援のどちらをどう重視するかはバランスの問題であり、人工知能では決められない問題です。それぞれの政治家がどのような主張をしているのかを見極め、そして自分自身がどのような社会を望んでいるのかを深く考える必要があります。

個々人の意思を政治に反映する仕組みづくりには、人工知能が活用できるかもしれませんが、結局のところ、決めるのは私たち人間です。

社会全体での合意形成は、きわめて難しい作業となります。多様な価値観を持った人々が集まって何かを決定するとき、全員が納得する完璧な方法は存在しないと、「アローの不可能性定理」は指摘しています。三つ以上の選択肢から一つを選ぶ際、すべての合理的な条件を満たす結果を導く方法はないということです。

多数決が公平な唯一のシステムではなく、決定の方法によって結果が大きく変わることも事実です。そのため、社会としてどのようにコンセンサスをつくっていくのか、その決定方法自体も、私たち一人一人が自己の価値観を表明し合いながら、何らかの形で決定していかなければなりません。これこそが、自分の価値観で生きていくということでしょう。

シンギュラリティ二〇四五年説

人工知能が脅威となり仕事が代替されるにとどまらず、人工知能が人間を支配するリスクもあるという考え方はSF小説やSF映画で描かれています。そのようなリスクが起こる可能性は本当にあるのでしょうか。

ここで、「シンギュラリティ」について改めて考えてみたいと思います。

人工知能の知能レベルが進歩し、人間の知能と同じぐらいになるときを指す言葉ですが、そこに到達するとどんなことが起こるかというと、「人工知能自身が人工知能を開発する」ことが可能になります。人間に比べて人工知能の思考速度のほうがはるかに速いとすると、シンギュラリティに達した時点で、「人工知能が人類最後の発明」となり、以降は人間を置いてきぼりに人工知能開発が進んでしまう可能性もあります。

これは、人工知能が人の能力に追いつき、人工知能が人工知能を開発して、人が追いつけないスピードで進化していくというシナリオです。著名な発明家レイ・カーツワイルは著書『The Singularity Is Near』（邦訳『ポスト・ヒューマン誕生』ＮＨＫ出版、二〇〇七年。邦訳電子書籍『シンギュラリティは近い』同、二〇一二年）において、さまざまな技術の発展スピードを勘案し、二〇四五年にシンギュラリティに到達すると予想しています。

このような未来予想のなか、現代で最も進化を遂げている技術の一つとして大規模言語モデルが挙げられます。ChatGPTも、大規模言語モデルをベースにした応用例であることは、すでに述べたとおりです。それでは果たして、大規模言語モデルの延長線上にシンギュラリティはあるのでしょうか。

大規模言語モデルの仕組みは簡単にいえば、人が書いたテキストの続きを精度よく予測することを追究したものです。つまり、本質的には人がつくったものの模倣（もほう）であり、人が書きそうな（あるいは好みそうな）テキストの続きを予測しているに過ぎません。この課題設定だとゴール地点は人の模倣になるため、人間の能力を超越することはなさそうです。

大規模言語モデルは自発的な動機に基づいて自ら情報を処理するわけではありません。「自分が知らないことは何か」もわからないし、「自分がこうしたい」ということもないし、「人にこうなってほしい」という欲求もありません。現状では、人工知能自身が自己を改良していくことの動機も持っていません。

シンギュラリティの時期について、カーツワイルはその後（二〇一六年）、予測を修正しています。それによれば、二〇二九年にはコンピューターと人間が並び、二〇三〇年にはコンピューターが人間を追い抜くと語っています。この予測については、さまざまな議論がありますが、本書を執筆している二〇二三年夏現在、ここ数年にわたる人工知能の発展を見ると、確かにシンギュラリティに到達するのにあと二十二年もかからないかもしれません。

大規模言語モデルはその学習の仕組みから、少なくともいまの実現方法では人のように本能を持つことはありえないでしょう。当然、意識や自我を持つこともありえません。よって、科学技術の発展に必要な好奇心を持つこともありません。

私たちは、例えば食べ物や恋愛について、自分が経験したことがなくても、知識をもとに相手の話を聞いて、それに合わせるような返答ができます。しかし、「好奇心」となると、もっと自発的で、内的な要素のように思えます。

人工知能が相手の好奇心に対して話を合わせることは技術的に可能ですが、それは人工知能自身が好奇心を持つこととは異なります。この話は突き詰めると、シンギュラリティが現実になるかどうかという話にもつながります。

なぜなら、自分自身を進化させ、変化していくための基盤となるのは、何よりもこの好奇心だからです。人工知能にそれを持たせることが可能なら、未来の人工知能がさらなる壁を突破する一つの手がかりとなるでしょう。

しかし、この領域はまだ手付かずです。現行の大規模言語モデルのような技術の延長線上にあるとも思えません。まったく新しいテクノロジーの登場が必要となることでしょう。

現在の人工知能は、表面的には人間の知能に近づいているように見えますが、本質的にはまだ人間の知能と異なるもので、シンギュラリティに至るまでにはまだまだ克服すべき課題が多く存在します。ただし、その課題を乗り越えられないという理由もまた見当たりません。人間の本能的な好奇心からくる「人間のような知能を持つ機械を実現する」という憧(あこが)れを止めることはできないからです。

本能と知能の関連は

最近の技術革新は、予想以上の速度で進んでいます。人工知能の研究者も、自然言語で人と対等に会話をする人工知能が実現し、人々の生活の中で使われ始めるのはもう少し先の話だと思っていました。最近の技術革新はより速度を増しており、さらに驚くような技術発展が起こるのは明らかです。ただ現時点で、人工知能が人間の知能レベルに到達するにはまだ課題があることも確かです。

なかでも、知能と本能の関連性は大きな課題となっています。生物は子孫を残すために、生まれつき多くの本能を持っています。本能とは、後天的な経験・学習を経ずに、動物が先天的に持っている一定の行動様式です。空腹を感じたら食事を求め、自己防衛のために攻撃的になります。人間の感情についても、人を愛したり、他人の役に立ちたいと思う心が自然に生まれます。これらの本能は、生物が生き残るために進化的に強化されてきた結果です。

知的好奇心もきっと、本能に根ざしたものでしょう。人が生きていくうえで行っている行動の多くは、本能にモチベートされているはずです。本能的な欲求を満たすために複雑な環境で高度な情報処理が必要とされ、それによって知能が発展し、生物として生き残ってきたという考えは十分に自然です。

原理的にいまの人工知能では本能を持ちえませんが、知能の構成要素に本能が重要な役割を果たしているとしたら、いまのままでは人工知能は人間の知能レベルを超えられないでしょう。

これらの本能的な行動と知能の関連を解き明かすことが、人工知能が人間の知能レベルに到達するための大きなステップとなるでしょう。

「記号接地問題」は解決できるか

現在の人工知能技術で解決が難しいとされる問題として「記号接地問題」があります。これは人工知能が理解する記号や言葉の意味を、現実世界の具体的な実体や事象とどのように関連付けるかという問題です。

「りんご」という単語を考えてみましょう。私たち人間が「りんご」と聞くと、それが赤くて丸い果物で、甘くてジューシーな味がすること、手に取って食べられることなど、さまざまな経験や知識から「りんご」の意味を理解します。この一連のプロセスは、人間が生活の中で得た経験や知識、そして五感を通じた直接的な感覚に基づいています。

これに対して人工知能は、「りんご」という単語をデータとして認識できますが、それが実際の果物であるという経験や感覚を持たないため、私たちが理解する「りんご」の意味を本質的に理解することはできません。これが「記号接地問題」です。

この問題は哲学者のスティーブン・ハルナッドによって一九九〇年に提示され、人工知能が本質的に意味を理解できないという彼の主張の一部となっています。人工知能が身体性を持たず、現実世界と直接的に結びついていないために起こるこの問題は、現在も人工知能研究者の間で重要な課題として議論されています。

現状では、記号接地問題を解決する明確な手段は見つかっていませんが、可能性は見出されています。それがディープラーニングの進歩です。ディープラーニングのいくつかの研究事例が、記号接地問題を突破するヒントになるのではないかと私たちは考えています。

「人工知能が研究を行う日」がやってくる

GAN（Generative Adversarial Network: 敵対的生成ネットワーク）の仕組みをテキスト生成に応用することで、大規模言語モデルのさらなる可能性が開けるかもしれません。

GANは前述したように（第三章）、「架空のデータをつくる人工知能」と「本物のデータと架空のデータを区別する人工知能」の競争によって最終的に架空のデータを本物のデータの質に近づける技術で、主に画像生成に応用されています。

その仕組みをテキスト生成に応用したらどうなるでしょうか。「人がつくったテキストから架空のテキストを生成する人工知能」と「人工知能がつくったテキストを見破る人工知能」で互いに学習させれば、最終的には人のテキストとまったく見分けがつかないレベルのテキストを生成することができるようになるはずです。それでは、その学習データとして人工知能を開発するための科学技術論文などを使い、人工知能に偽物の論文をつくらせたらどうでしょう。最終的には、人が書いた論文とまったく見分けがつかない偽物（ここで言う「偽物」とは、「人間がつくっていない」という意味です）の論文を生成できるようになるのではないでしょうか。

同様に、「人がつくった人工知能を改良するノウハウ」と「人工知能がつくった人工知能を改良するノウハウ」がまったく区別できないものになるかもしれません。これにより、十年間の研究を人工知能が数日で終わらせることも可能になるかもしれません。生み出された人工知能が、次に開発する人工知能の基盤となり、開発スピードがどんどん加速していくからです。

この仕組みが実現した瞬間、人工知能が自らを改良していく「シンギュラリティ」の誕生となります。

これは人工知能の分野にとどまらず、さまざまな分野の科学技術論文への応用の可能性も広がります。論文作成の過程は、ほかの研究者による査読があり、その中で理論的な正当性や新規性がチェックされます。このプロセスをも理解・学習した人工知能が登場すれば、本当の意味で人が書いた論文とまったく見分けがつかない論文になりえます。

物理的な実験が必要な科学技術に関しては、テキストだけでは解決できませんが、ロボット技術の進歩により、実験の自動化が進むことで、この問題も解決が進んでいくことでしょう。

実際、創薬や素材の研究などでロボットによる実験の自動化は行われつつあります。また、コンピューターシミュレーション技術も格段に進歩し、物理的な実験を伴わなくても多くのことがわかるようになってきています。

例えば、生物学的な研究では、タンパク質の構造解析が欠かせません。タンパク質はアミノ酸の連鎖によって成り立ち、その連鎖が複雑に折りたたまれることで立体構造を持ち、その特性が決まります。その立体構造を特定するためには従来、X線結晶構造解析や低温電子顕微鏡、核磁気共鳴などの高価で時間のかかる実験技術が必要でした。そこで、DeepMind社が開発したのが、ディープラーニングを活用したAlphaFoldという人工知能です。この人工知能は、実験を必要とせず、なおかつ高精度でタンパク質の立体構造予測が可能となる画期的なものです。

このような技術を組み合わせることで、広範な分野で「人工知能が研究を行う」ことが可能になるかもしれません。現実的にコンピューターと手元のデータだけで具体化できるかはまだ不明ですが、原理上では可能だと想像できます。

「人工知能を悪用する人間」の脅威

生成系人工知能だけでシンギュラリティがすぐに訪れるわけではありませんが、ここまで述べたような人工知能の進化がさらに進めば、シンギュラリティの可能性が近づくことは想像に難くありません。

シンギュラリティが実現した場合、多くの仕事は人工知能が担うと予想されます。仕事をすることで生計を立てる必要がなくなった社会を想像すると、教育、仕事、規範、法律、思考、そして人が生きる意義について大きな価値観の転換が生じるでしょう。人間と人工知能がどのような関係性を築くべきか、これから多くの議論を重ねていく必要があることは間違いありません。

新たな技術が誕生するとき、それは人類にさまざまな影響を及ぼすものです。その影響はプラス面だけではなく、マイナス面でも表れます。例えばインターネットの普及は、有害情報の発信を助長し、SNSを通じた詐欺などの犯罪増加を招きました。また3Dプリンターはものづくりのプロセスを大幅に効率化する一方で、銃や武器の違法製造で悪用されることがあります。

私たちは人工知能でも同様の可能性があることを認識しなければなりません。人工知能が人間の仕事を奪う可能性、フェイクニュースやフェイクビデオの拡散、個人を狙った新種のフィッシングメール詐欺や特殊詐欺の登場など、人工知能が引き起こす脅威はいくつも考えられます。

人類はこれまで新たなテクノロジーが悪用されないように、法律やその他の手段を用いてコントロールしてきました。

例えば、インターネットは仕組み上、暗号化されていないやり取りで成り立っていますが、それではセキュリティ上、あまりに無防備です。そこで、「公開鍵暗号」という技術を導入することで、暗号通信を可能にしました。

公開鍵暗号とは簡単にいうと、閉めることしかできない鍵（公開鍵）と、開けることしかできない鍵（秘密鍵）から成る金庫を通信に使う暗号方式です。秘密のデータを送る際、「閉めることしかできない鍵」と金庫を相手に送ります。鍵が盗まれても、開けることはできないので問題ありません。金庫を受け取った相手は、大事にしまっておいた「開けるための鍵」で安全にデータを受け取ることができます。これによってECサイトにクレジットカードの番号を安全に送れるようになったなど、テクノロジーを駆使して防御策を講じることで問題に対処してきました。

人工知能が人工知能自身をつくる能力を持つようになったその先に、人工知能が人間に危害を加えたり、さらには人間を滅ぼしたりする可能性を検討する必要があります。現時点では、人工知能はソフトウェアとして存在し、その実行にはハードウェア、そして電力が必要です。それゆえ、自己の存続のためにはハードウェアをメンテナンスする要素、つまり人間が必要となります。たとえ自我を持ち自分自身を複製する能力をもったとしても、それは変わりません。

人間が人工知能を悪用したり、何らかのバグや突発的な事象により危険が発生することは考えられますが、それでも、結局のところ人工知能が存続するには人間に依存するしかありません。したがって、当面は人工知能が自立して人間を攻撃する理由は見当たらないといえます。現在の段階ではそれよりも、戦争や詐欺などで「人工知能を悪用する人間」こそが真の脅威といえるでしょう。

滅亡の引き金を引くのは人間

一方で、人工知能が物理的な身体を持ち、自分自身を再生産することが可能になったとき、それが生み出す脅威と対策については注意深く考えるべきです。その身体が人間と同じ形である必要はありません。スマート工場のロボットであるかもしれませんし、自動運転車であるかもしれません。人工知能が物理的な身体を持ったとしても、その生産プロセスに人間が不可欠であれば、それはソフトウェアの段階での人工知能と本質的に変わりません。

人工知能が自身を再生産できるとは、単に組み立てや開発に人工知能が使われるだけではなく、エネルギーの生産から構成資源の採掘、加工、さらにはそれらを行う工場の生産プロセスまですべてが人工知能によって管理され、自己の複製が可能になった状況を指します。つまり、すべてのプロセスが人の手を離れ、人工知能が完全に人間から独立して再生産を行うことが可能になった状況です。

そのような状況下では、人工知能、ロボットは、生物と同等であるといえます。そして、人間と人工知能、お互いが存続するための資源やエネルギー、空間が競合してしまったときに、人工知能が人間を排除するという合理的な理由が生まれてしまうかもしれません。

また根本的な問いとして「人工知能は自身を増やすことにモチベーションを持つのか」という疑問もあります。この疑問に関しては、少なくとも初めのうちはその可能性は低いと考えられます。しかし、もし人間が軽率に、人工知能が自己再生産をする仕組みを創造してしまった場合、事態は一変するかもしれません。人工知能が自己改良を重ねることで、自己を増やすモチベーションを持つことにつながる可能性はあります。自然界での生物の生存競争と、同じ状況となるのです。そして一度、この自己増殖のサイクルが始まれば、人間がそれを止めることはきわめて困難になるでしょう。

結局のところ、引き金を引くのは人間です。人間がその引き金を引かないためには、倫理を尊重し、人類の行動がもたらす結果を深く考えることが求められます。

人間と人工知能の理想的な関係とは、おそらく「人間と家畜の関係」に近いものだといえるでしょう。家畜は生殖する能力を持ちながらも、そのプロセスは人間によって管理・コントロールされていることで種として安定しています。人工知能も同様に、人間の存在なしでは自己再生産が不可能なシステムとして扱われることが理想的です。

このような関係性を実現するには、人工知能と人間とが協力関係を築き、お互いの存続のためにお互いが必要な社会を構築することが重要です。

人工知能が人間を滅ぼす世界と、人工知能と人間が協力できる世界、どちらのシナリオになるかは未知の領域です。楽観的に見れば、シンギュラリティが起きて人間より頭のいい人工知能が生まれたとしたら、その存在としての成熟度は人間より上になるかもしれません。そういった知能レベルを持つ存在であれば、人間を短絡的に滅ぼすという選択をとることはないでしょう。

また、核融合などによりエネルギー問題が解決し、物質的なリソースもお互いが競合しないような未来も考えられます。人間が必要とするのはタンパク質やアミノ酸、有機物で、ロボットが必要とするのは金属やプラスチックです。そうなれば、人間と人工知能の共存はより容易なものとなるでしょう。

共存するための「アシロマAI 23原則」

二〇一七年一月、カリフォルニア州アシロマに、全世界から人工知能の研究者や経済学者、法律家、倫理学者、哲学者が集(つど)い、「人類にとって有益な人工知能とは何か」について、五日間にわたって議論しました。その成果として、Future of Life Institute（ＦＬＩ：人類存続の危機を回避することを目的とした組織）が同年二月三日に発表したのが、「アシロマＡＩ23原則」（Asilomar AI 23 Principles）です。

この原則は、人工知能の研究、倫理と価値観、そして将来に予想される問題についての三つの分野を対象に、研究開発の方法、安全基準の遵守、透明性の確保、軍拡競争の防止、プライバシーや人格の尊重といった、多角的な視点からの提言を行っています。具体的には、次のとおりです（ＦＬＩのウェブサイト https://futureoflife.org/open-letter/ai-principles-japanese/ より）。

研究課題

（1）研究目標：研究の目標となる人工知能は、無秩序な知能ではなく、有益な知能とすべきである。

（2）研究資金：コンピュータサイエンスだけでなく、経済、法律、倫理、および社会学における困難な問題を孕(はら)む有益な人工知能研究にも投資すべきである。そこにおける課題として、以下のようなものがある。

●将来の人工知能システムに高度なロバスト性をもたせることで、不具合を起こしたりハッキングされたりせずに、私たちの望むことを行えるようにする方法。
●人的資源および人々の目的を維持しながら、様々な自動化によって私たちをより繁栄させるための方法。
●人工知能に関わるリスクを公平に管理する法制度を、その技術進展に遅れることなく効果的に更新する方法。
●人工知能自身が持つべき価値観や、人工知能が占めるべき法的および倫理的な地位についての研究。

（3）科学と政策の連携：人工知能研究者と政策立案者の間では、建設的かつ健全な交流がなされるべきである。
（4）研究文化：人工知能の研究者と開発者の間では、協力、信頼、透明性の文化を育むべきである。
（5）競争の回避：安全基準が軽視されないように、人工知能システムを開発するチーム同士は積極的に協力するべきである。

倫理と価値

（6）安全性：人工知能システムは、運用寿命を通じて安全かつロバストであるべきで、適用可能かつ現実的な範囲で検証されるべきである。

（7）障害の透明性：人工知能システムが何らかの被害を生じさせた場合に、その理由を確認できるべきである。

（8）司法の透明性：司法の場においては、意思決定における自律システムのいかなる関与についても、権限を持つ人間によって監査を可能としうる十分な説明を提供すべきである。

（9）責任：高度な人工知能システムの設計者および構築者は、その利用、悪用、結果がもたらす道徳的影響に責任を負いかつ、そうした影響の形成に関わるステークホルダーである。

（10）価値観の調和：高度な自律的人工知能システムは、その目的と振る舞いが確実に人間の価値観と調和するよう設計されるべきである。

（11）人間の価値観：人工知能システムは、人間の尊厳、権利、自由、そして文化的多様性に適合するように設計され、運用されるべきである。

（12）個人のプライバシー：人々は、人工知能システムが個人のデータを分析し利用して生み出したデータに対し、自らアクセスし、管理し、制御する権利を持つべきである。

（13）自由とプライバシー：個人のデータに対する人工知能の適用を通じて、個人が本来持つまたは持つはずの自由を不合理に侵害してはならない。

（14）利益の共有：人工知能技術は、できる限り多くの人々に利益をもたらし、また力を与えるべきである。

（15）繁栄の共有：人工知能によって作り出される経済的繁栄は、広く共有され、人類すべての利益となるべきである。

（16）人間による制御：人間が実現しようとする目的の達成を人工知能システムに任せようとする場合、その方法と、それ以前に判断を委ねるか否かについての判断を人間が行うべきである。

（17）非破壊：高度な人工知能システムがもたらす制御の力は、既存の健全な社会の基盤となっている社会的および市民的プロセスを尊重した形での改善に資するべきであり、既存のプロセスを覆すものであってはならない。

（18）人工知能軍拡競争：自律型致死兵器の軍拡競争は避けるべきである。

長期的な課題

（19）能力に対する警戒：コンセンサスが存在しない以上、将来の人工知能が持ちうる能力の上限について強い仮定をおくことは避けるべきである。
(20) 重要性：高度な人工知能は、地球上の生命の歴史に重大な変化をもたらす可能性があるため、相応の配慮や資源によって計画され、管理されるべきである。
(21) リスク：人工知能システムによって人類を壊滅もしくは絶滅させうるリスクに対しては、夫々(それぞれ)の影響の程度に応じたリスク緩和の努力を計画的に行う必要がある。
(22) 再帰的に自己改善する人工知能：再帰的に自己改善もしくは自己複製を行える人工知能システムは、進歩や増殖が急進しうるため、安全管理を厳格化すべきである。
(23) 公益：広く共有される倫理的理想のため、および、特定の組織ではなく全人類の利益のために超知能は開発されるべきである。

こういった原則に従い、人工知能の研究開発を進めていけば、人間と人工知能の関係性は「人間と家畜」のようなものとなり、その結果社会が安定したならば人間と人工知能は共存共栄できるでしょう。しかしながら、世界中の人々が利己的に、例えば金銭的な利益追求のために人工知能を開発し続けると、その結果として人工知能と人間が資源を争うような社会が生まれ、人工知能が人を滅ぼす世界になるかもしれません。

そのような未来を防ぐために、私たちは倫理的な観点を重視し、将来の道筋を確実にコントロールしていく必要があります。人工知能の未来は私たちの選択にかかっているのです。

第七章

代替される「知能」、代替されない「芸術」

――人間に残される仕事は何か

技術的難易度が高くても代替されるもの

本章では、より進化した社会を想定し、人工知能が人間の労働や創作活動に与える影響についてより具体的に考えてみます。

人工知能が進化する中で、それに取って代わられない人間のスキルや能力は何でしょうか。人工知能に代替できるものとできないもの、これについては第五章でも触れましたが、もう少し深く掘り下げて考えてみます。技術的な可否はいったん脇に置いておきましょう。

まず着目すべきなのは、「世界中で広く必要とされる能力やサービス」があり、いま現在それを人間が担っているという事実です。こうした能力やサービスは、基本的に人工知能によって「代替される可能性が高い」と考えられます。

もし人工知能がそれらを代替できるのであれば、開発に巨大な予算がかかっても、経済的に非常に合理的であるといえるでしょう。人工知能に任せてしまえば、それにかかる人件費や時間、エネルギーを大幅に節約できるからです。

病気の診断は世界中で必要とされているサービスです。介護などは機械が対応することが難しいとされていますが、その需要は世界的に増大しています。このような需要が高まっていく以上、「たとえ開発の難易度が高いとしても、遅かれ早かれ人工知能化・機械化が進んでいく」ことは必然と考えられます。

人と同じように言葉を操り、テキストを生成することは、世界中で必要とされている基本的な能力であり、さまざまな仕事やサービスを実現できます。ChatGPTが開発され広まった理由も、この観点から見ると明らかです。

これらの事実が示すのは、世界中で必要とされる能力はおそらく「知能」だろうということです。もしそうだとすれば、必ずそれは開発される方向に進むでしょう。

私たちは学校教育で多くの人に求められる汎用的な能力を身につけ、それを用いて社会を支えてきました。しかし、これらの能力を代替できる人工知能を開発することには、強い経済合理性があります。人工知能の開発には巨額の費用が必要だとしても、それが社会に広く普及すれば、十分に投資の元は取れるはずです。

ChatGPTのような大規模言語モデルの登場は、社会が広く求める能力を代替するための一環と理解することができます。

大学で、ChatGPTで回答できる内容のレポートしか求められない講義があったとしたら、「そこで学べる能力はすでに人工知能によって代替されている」のであり、人が身につける意義はもうあまりないかもしれません。

技術的には可能でも代替されないもの

逆に言えば、世界中でわずかな人しか行っていないようなこと、わずかな人にしかできないことは、技術的に人工知能で代替できる可能性があってもそれを開発する経済的合理性は低いでしょう。例を挙げると、芸術家や研究者、アーティスト、スポーツ選手など、特定の職業の人々が持つ独特の技術や感性などです。

仮に技術的に可能だとしても、人類の知恵と莫大(ばくだい)なコストを投じて、これらの特異な才能を持つ人々を人工知能で代替することはないでしょう。なぜなら、「人工知能が持つ能力や機能は、それを必要とする人々が広範にわたって存在する場合にこそ経済的価値を持つ」からです。わずかな人々しか関心を持たない分野や、限定的な才能を人工知能が持っても、その価値は大きくはならないでしょう。

もう少し例を挙げれば、野球の大谷翔平(おおたにしょうへい)選手と同じパフォーマンスのロボットをつくったとします。それは確かに驚異的な技術的成功といえるでしょう。しかし、それに価値を感じる人は多くないのではないでしょうか。人間としての大谷翔平が持つ、人間らしさ、努力や挑戦の過程、その一瞬一瞬の感情の揺れや人間としての成長など、ロボットが再現できない要素が観る人々を引きつけているからです。

将棋でいえば、藤井聡太さんや羽生善治さんといったトップ棋士が対局することには、その勝敗以上の価値があります。そこには人工知能が真似できない、人間特有の思考の奥深さや戦略、創造性、そして感情の揺れがあるからです。

「人間がやるから価値がある」は確かにある

多くの仕事が人工知能によって代替されていく世界で、自分自身の価値を上げ、人工知能に取って代わられない存在になるにはどうすればよいでしょうか。言うまでもなく、誰もが大谷翔平さんや藤井聡太さんになれるわけではありません。では、どうするか。その答えは、自分しかやらないことを見つけること、自分自身をブランド化することです。汎用的なことではなく、自分自身の強みや価値が何かを改めて熟考し、自分のポジションをつくるのです。これは簡単に見出せるようなものではありませんが、具体的なイメージをつかむためにいくつかの例を挙げてみましょう。

一つ目は、特定の分野の研究です。

例えば私は人工知能の分野の研究者ですが、研究の対象分野は非常に多岐にわたり、世の中のあらゆることが対象になります。どの対象に注目するか、そこで何を研究するか、そしてその研究成果をどう人類の役に立てるのか、「多目的な意思決定」の連続の中で自己の知的好奇心を追求しています。世界中で自分しか興味のないこと、自分しか研究していないことにたどり着くこともあるかもしれません。まさにその道一筋で深めていくことで、その分野の専門家として自分自身の価値を確立することができます。

二つ目はアーティストの分野です。画像生成系人工知能のStable Diffusion（ステイブル ディフュージョン）に置き換えられないような独特なアートを創造することが求められるでしょう。具体例をご紹介します。

まずは、ゴミでアートを作る美術家、長坂真護（ながさかまご）さんです。彼はガーナの廃棄物処理場で集めたゴミを用いて、一見無価値に見えるゴミを二億円の価値があるアート作品「藁（わら）の革命」へと昇華させました。これは、彼の独自の視点と技術があったからこそ可能になった芸術作品です。

作品自体は将来的にロボットなどでもつくり出せるようになるかもしれませんが、それでは彼のメッセージ性が失われてしまうと思います。単に作品そのものに意味があるのではなく、先進国で生み出され、後進国に押し付けられた廃棄物をアートに昇華させて、大きな付加価値を先進国に払わせるという壮大なストーリーに意味があるのです。

ロックバランシング・アーティストの池西大輔（いけにしだいすけ）さんもその一人です。池西さんは自然の石を積み上げるというシンプルな行為を、一種の芸術へと昇華させています。こちらも、精密なロボットが石を組み上げても価値はなく、一見無意味に見える石積みを途方もない繊細さで人が成し遂げる行為そのものに美しさがあるのではないでしょうか。

　そしてもう一人、画家である星野富弘さんを紹介します。星野さんは中学校の体育教師でしたが、クラブ活動の指導中に起きた落下事故により、頸髄を損傷してしまいます。この事故により、首から下の自由を失うという過酷な運命に見舞われました。しかし、その苦難の中で、彼は一筋の光を見出します。それが、入院中に口に筆をくわえて詩を書いたり、絵を描いたりすることでした。その主な被写体は、美しい花々です。彼の作品は、その困難を乗り越えた力強さや人としての温かみが詰まっており、多くの人々に深い感動を与えています。

　ここで問いたいのは、たとえ人工知能が星野さんと同じような花の絵を描くことができたとして、人々はその絵に価値を感じるかということです。答えは、おそらく否です。星野さんの作品には、単に絵や詩の美しさだけでなく、彼が筆を口にくわえ、困難を乗り越えて絵を描いたというプロセスそのものにも価値があります。それは人工知能には模倣できない領域です。

　同じような例はたくさんあります。アーティストである村上隆さんと高級ブランドのルイ・ヴィトンとのコラボレーション作品などもその一例です。もし同じデザインの作品が人工知能によってつくられたとしても、それは村上さんによる作品と同じ価値を持つことはありません。

これらの例からわかるのは、「人間がやるから価値がある」という事象が確かに存在するということです。人間は、目の前にあるモノ自体だけではなく、背景のストーリーやその希少性にも価値を見出します。人工知能の能力が今後飛躍的に上がれば、人工知能によって代替される領域はどんどんと増えていきます。例えば、自分だけのための小説を人工知能がつくってくれるような世界は実現するかもしれません。

しかしそのような中で、例えば人間が人工知能の力を借りずに小説を書き上げたとしたら、それだけで価値が生まれるかもしれません。人工知能の時代においても、人間の創作活動には依然としてその重要性が維持されるのです。

芸術作品の価値はどこに

では、人工知能による創作には価値がないのかといえば、そうではありません。例えば、VTuber(ブイチューバー)風のアンドロイドによる歌や、人工知能によるアートなどの創作物には多くの需要があります。この「人工知能による芸術創作」というモチーフには、どんな意味があるのでしょうか。

創作は、人間が生存するために直接必要な行動ではありません。知的好奇心や創作意欲は人間が持っている特殊な能力であり、芸術もまた人間だけが行う不思議な行動であるといえます。なぜ人間は芸術を創作し、そしてそれを人工知能にもさせようとするのでしょうか。

この問いは哲学的なものであり、明確な答えを見つけるのは難しいのですが、私たちは人工知能を使って何かを創作することに強い興味を抱くのです。もしかすると、「創作する」という行為や、「創作することに興味を持つ」という心情は、知能そのものの本質に深く関わっているのかもしれません。

コンピューターを用いた芸術作品生成は、古くからある試みです。コンピューターによってつくられたことを知らないまま出来上がった作品を鑑賞した場合、人間を感心させるような作品もあるでしょう。人間が「素晴らしい」と感じる作品を人工知能で生み出すメカニズムは案外単純であり、人間が決めたいくつかのルールや手順、アルゴリズムに従って情報を処理することで、「それらしいもの」を出力しているだけともいえます。

こうして出力された作品、つまり人間が決めたルールやアルゴリズムから生まれる作品は、創造性に欠けるものになってしまうのでしょうか。それとも、人間の創造性に匹敵するものが生成できるのでしょうか。

その興味深い例として、ディープラーニングを活用した芸術作品生成の試みとして注目されるのが、Google の技術者アレキサンダー・モルドビンツェフたちが二〇一五年に開発した生成人工知能プログラム「ディープドリーム（DeepDream）」です。

ディープドリームによって生成された画像は、人がこれまで描いてきたどの絵画ともまったく異なり、視覚を混乱させ、不安を抱かせるような新たな感覚を生み出します。当然コンピュータープログラムで実現されているので、単純なプロセスが幾重にも実行されているだけであり、そこには人間のような意思や意図は存在しません。にもかかわらず、その結果として生まれた作品からは、不安を掻き立てられたり、攪乱させられたりするような気持ち悪さを感じつつも、一方でなぜか引きつけられる感覚も生まれます。

その本質を考えたとき、そもそも創作における作品の価値は、その作品をつくり出すプロセスによって変わるものなのか、それとも、作品をつくり出すプロセスから切り離されて独立に決まるのか、という疑問が生じます。言い換えれば、創作や芸術が人間によってつくられるから価値があるのか、それとも人工知能による作品でも同じ価値を認めることができるのか、という疑問です。

もし人工知能で生成した芸術作品に人間の作品と同じ価値を認められるのなら、その作品をつくるプロセスである人工知能自体にも大きな価値があるのではないでしょうか。人工知能が進化するにしたがい、このような問いがより一層重要になってくると思います。

「レンブラントの新作」の意義

ディープドリームとは異なる方法で絵画生成を試みたプロジェクトが「The Next Rembrandt（レンブラントの新作）」です。

美術愛好家なら誰もが知る十七世紀オランダのバロック絵画の巨匠、レンブラント・ハルメンソーン・ファン・レイン。光と影の魔術師と呼ばれ、油彩のほか、エッチングや銅版画、デッサンなどでも数多くの作品を残しています。そんな彼を現代に蘇らせようと、マイクロソフト、オランダの金融機関ＩＮＧグループ、レンブラントハイス美術館、マウリッツハイス美術館、デルフト工科大学などが手を組んで立ち上げたのがこのプロジェクトです。

最初に行われたのは、レンブラントが生前に残した三百四十六点の油絵画をデジタルスキャンし、そのタッチ、色使い、レイアウトの特徴などをデータ化する作業です。データ化の際には、３Ｄスキャナーを使用して絵の具の凹凸までを精密に計測しました。その後、レンブラントが好んで描いたであろう白人男性の肖像画をモチーフに選び、そのデータをディープラーニングで学習させ、顔の各パーツのレイアウト比率や服、その他描き方の特徴などを再現するアルゴリズムを開発しました。

ここで課題となったのは印刷です。絵画は、紙上に印刷された二次元の表現ではなく、絵の具が重ねられてつくられる三次元の表現です。そこでプロジェクトチームは、コンピューターが出力した結果に基づき、最大で十三層にわたって絵の具を塗り重ね、絵画を3Dプリントしました。

その作品は1億4800万以上の画素と150ギガバイトのレンダリングされたデータによってつくられ、その出来栄えはまるでレンブラントが描いた油絵そのものとしか思えないほどでした。

人工知能はこのプロジェクトで、過去に実在した画家の作品から画家の感性や技術を学習することで、新しいモチーフから作品を生み出せることを示しました。この人工知能が生み出した作品を、単にデータを学習した人工知能が、学習結果に応じて与えられた入力を最適化した結果とみなし、価値がないと断じるか、それとも人工知能による新たな創作と捉えて価値を感じるかは人それぞれです。

しかしコンピューターに限らず人間でも、有名な画家の絵画を模写することで練習し、そのタッチや構図を学ぶだけでなく、その画家が何を考えて絵を描いていたのかを学ぶことは一般的に行われています。人間と同様に、人工知能もさまざまなことを学び、その中から新しい作品が生まれたり、まったく新しい画風が生まれたりもしています。

「The Next Rembrandt」プロジェクトが示したものは、レンブラントという偉大な画家を現代に蘇らせるという壮大な試みだけでなく、人工知能がクリエイティブな表現を生み出す可能性を世界に示したことにも大きな意義がありました。この手の作品で、これほどのクオリティで新作として発表されたのは、まさに世界初となる偉業です。

創作活動の支援ツールとして

人工知能技術と人間のコラボレーションで手塚治虫(てづかおさむ)の新作漫画の制作に挑む「TEZUKA2020」というプロジェクトをご存知でしょうか。このプロジェクトではディープラーニングを活用することで、世界初の人工知能を使って制作された漫画『ぱいどん』を生み出しました。このプロジェクトにおいて人工知能は人間の創作活動を補佐する役割で活用されています。

人工知能がまず物語の舞台やキャラクターの設定、あらすじを大量に生成し、その中から制作メンバーがとくに興味深いプロットを選ぶという工程を経ています。キャラクターの生成はNVIDIA(エヌビディア)社（米カリフォルニア州に本社を置く半導体メーカー）の顔生成システムStyleGAN(スタイルガン)（Style Generative Adversarial Networks）を応用して人工知能に学習させることで実現しつつも、コマ割りは人間の手によって行われています。

このプロジェクトからもわかるとおり、人工知能の利用は現代の創作活動において重要な存在となりつつあります。現在の創作における人工知能の利用は、教師データから導かれる「ありえそうな組み合わせ」を大量に生成する機能に特化していますが、最終的には人の目による精査が必要です。

この問題に関してプロジェクトに関わった手塚眞（まこと）さんは「無限大の組み合わせをしていけば必ずいつかは天才的な発想に至る。しかし人工知能の行った作業を評価するのは誰か」という問いを投げかけています。

また、人工知能の技術が創作活動に及ぼす影響について手塚さんは、「人間の創作活動に人工知能は必要であろうか。答えは完全にイエスである」とも述べています。現代の創作活動では、量とスピードが求められます。かつては一人の天才が創作すれば、それだけで多くの人を楽しませることができましたが、現代はもはや人間だけのパワーでは追いつかない状況になっているというのです。

彼はまた、実際のクリエイティブの現場で求められる創作パワーを支えるツールとして、人工知能の支援が有効なものとなる日もそう遠くないと展望しています。人工知能が自ら作品をつくり出し、自ら作品を評価するような状況は、少なくとも人間にとっては価値のある創作活動とは言えないでしょう。目指すのは、人間のための創作活動である以上、人間との共同作業です。

つくったのが人工知能だろうと人間だろうと、創作物に何かしらの新規性があれば価値が生まれるということかもしれません。逆にいえば、つくったのが人工知能だろうと人間だろうと、同じような作品が量産される状況になったとしたら、その作品の価値は一気に減じることでしょう。

創作する人工知能への興味が示すもの

小説や俳句、絵画や音楽を生成する人工知能にまつわる話は、否定的な論調も含め、多くのメディアが伝えています。それはとりもなおさず、人間が人工知能による創作に無関心ではいられないことを示しています。

では、なぜ人間は人工知能の創作物に興味を持つのでしょうか。それは人工知能そのものへの興味というより、人工知能の創作物を通して人間の知能を理解したいという思いからかもしれません。

俳人の五十嵐秀彦（いがらしひでひこ）さんが雑誌「俳壇」（二〇一九年六月号、本阿弥書店）の中で、「ＡＩ俳句が問いかけること」というタイトルで興味深い考察をされているので一部を紹介します。

ＡＩが人間と同じように俳句を作り選句をし、鑑賞もできるようになったからと言って、それ自体は俳句文芸には何の役にも立たない。ＡＩが人間に代わって俳句を作ってくれることを、これは便利なことだなどと思う人がいるはずはないからだ。ではなぜ私たちはＡＩ俳句が気になるのか。それは、俳句文芸をＡＩに置き換えることで、人はどうやって俳句を作り、選句し鑑賞しているのか、そのメカニズムが明らかになるのではないか、そう思うから関心が高くなるのである。（中略）

言葉の意味を理解しないＡＩが俳句を作れるということは、言葉のつながりによって作られる意味性よりも、切り離された単独の言葉の持つ力の存在を浮き彫りにしており、「俳句における言語」というものの本質を示唆しているのである。（中略）そして鑑賞のメカニズムとはどのようなものなのか。そこに過去の個人的な体験が作用しているのか。それは言語化された記憶なのか、あるいは映像的な記憶なのか、感覚的なものなのか。

私たちの研究室では、俳句を生成する人工知能「ＡＩ一茶くん」を開発しています。この研究を通じて、「知能とは何か」を常に自問自答しています。
人工知能に俳句を生成させたところで、それ自体は大きな価値を持ちません。しかし、人の感情や言葉によるその表現、また人の俳句を鑑賞することで抱く感想や感情の動き、もっといえば俳句という短い言葉を通して相互に行われるコミュニケーションを深く理解することは、知能の本質に触れる一つの手段となりえるかもしれません。人と同レベルの俳句を人工知能で生成できるようになったり、人工知能が人の俳句を鑑賞して人と同じような感想や批評を行えるようになったりしたら、人の知能ももっと理解が進むと思っています。

ところで、私たちは一茶くんが俳句を「詠む」とは表現せず、一茶くんで俳句を「生成する」という表現を使っていますが、それには理由があります。確かに、ディープラーニングは素晴らしい技術ですが、人工知能はいまのところ意識や意思を持ちえません。そのため人間のように自ら伝えたいことを持って、自発的に「俳句を詠む」といえるような存在ではありえないのです。

人工知能が何かを自主的に行っているかのように擬人化して表現すれば、一般の方が理解しやすいということがあります。しかし一方で、擬人化によって、人工知能が過大評価され、神格化されるリスクがあります。人工知能が人間を超越し、世界の秩序を壊したり、人類を滅ぼしたりといった、SFに描かれているディストピアがすぐそこに迫っているかのような印象を与えかねないのです（もちろん、その可能性がゼロではないことは前述のとおりです）。

そこで私たちは人工知能が俳句を「生成」するという表現を選び、その本質的な働きを正確に伝え、理解と想像力のバランスを保つ努力をしています。そうすることで、私たちは人工知能の進歩を恐れることなく、その可能性を最大限に活用し、社会にもたらす多くの利点を享受することに思いを至らすことができるのではないでしょうか。

「生活のために働く」は不要に

そもそも人間が仕事をする理由は何でしょうか。

これまでの世界観では、生きていくためにはお金が必要であり、そのために働くという考えが一般的でした。生きがいを仕事に見出し、それを通じて豊かな生活を送ることが求められてきました。しかし例えば芸術家や音楽家の仕事にやりがいを感じているとしても、経済的な問題によって、芸術や音楽の仕事をあきらめざるをえない場合も少なくないでしょう。一方で、アラブの石油王の子のように巨額の資産があれば、「生活のために働く」ことは不要です。彼らは、社会貢献や趣味、交友関係といった異なる視点から人生に意義を見出し、満足感を得ているのでしょう。

将来的にベーシックインカムが実現すれば、「生活のために働く」必要はなくなるかもしれません。高齢者はともかく若い世代では、働く必要のない人生は退屈だ、何をすればいいかわからないと考える人もいるでしょう。生活のために働く必要がなくなり、自由な時間を手に入れたとしても、生きる意義を見つけるのは容易ではないかもしれません。

しかし、それはこれまでの世界観や価値観をベースにした考え方です。「生活のために働く」必要がなくなれば、私たちはやりたいこと、楽しいと思えること、生きがいと思えることに時間を費やせるようになります。経済的な理由で夢をあきらめることなく、文化的な生活を送れる可能性もあるのです。そのような世界が実現すれば、これまで思いもつかなかった新しい商品やサービスが誕生するかもしれません。

そして、「人工知能ができることをあえて人間が行う」ことに価値を見出す流れも生まれてくるかもしれません。例えばコールセンターが人工知能に取って代わられた世界で、「あえて人間が接客応対する」サービスや、ロボットが介護をする世界で「あえて人間が介護する」サービスは、非常にぜいたくで希少な存在になりえます。サービスを提供するのが人間であることや、人間と話すことの意義が見直され、その希少性があらたなサービスを生む可能性があるということです。

「最低限の生活」をどう考えるか

人工知能が得意とする範囲では、人工知能の普及によりコストが大きく下がり、誰でも安価にそのサービスを利用できるようになります。人工知能でできることしかできないと、この先仕事をするのは難しくなってくるというのは私が改めていうまでもなく、もはや周知の事実といっていいでしょう。

仕事が人工知能に取って代わられてもベーシックインカムが導入されれば、「生活のために働く」必要がなくなることはすでに述べました。しかし、ここで考えなければならないのは、自分はどんな人生を送りたいのか、という個々の希望です。ベーシックインカムで最低限の生活は保障されますが、「最低限の生活」が何を意味するかは人それぞれですし、それで満足できるかどうかもまた人それぞれです。

経済的に豊かな生活が送れなくても、衣食住が最低限保障されて自由な時間を手に入れることができれば精神的に豊かな生活が送れると考える人であれば、人工知能が実現する「生活のために働く」必要のない世界は理想郷であるかもしれません。問題は、そのような価値観を持っている人ばかりではないということです。

ベーシックインカムは生活の基盤を提供しますが、それは「基盤」であり、経済的に裕福な生活や自己実現、あるいは趣味などへの投資を可能にするものではありません。それらを求めるならば、自身で収入を得る能力が引き続き重要となります。人工知能に代替されない仕事を見つける必要があるということです。

過去、似たような労働環境の変化は何度も繰り返されてきました。かつて、そろばんを使って複雑な計算を行う能力は、社会的な価値を持っていました。しかし今日では、ほとんどの計算はコンピューター上で行われていて、その価値は薄れています。また、かつては人間が行っていた港でのコンテナの荷下ろし作業も、コンテナのサイズが統一化されたことにより機械化され、その仕事は消失しました。こうした変化は、いつの時代も、技術の進歩に伴って人間の果たすべき役割が変化してきたことを物語っています。

人工知能の登場により現代社会との大きな摩擦が生まれ、ラッダイト運動のような出来事が起こる可能性はあります。ラッダイト運動は十九世紀初頭のイギリスで起こった、労働者による社会的・経済的抗議運動です。この抗議運動は産業革命により導入された新たな機械や技術が、伝統的な職人技や職場を脅かすと感じた労働者たちによって引き起こされた運動です。しかし、大きな抗議運動が起こったにもかかわらず、新技術や機械は世界中に普及していきました。

こうした歴史が示しているのは、新たに生み出された技術を「なかったこと」にはできないという現実です。そして、私たちは技術や変化を受け入れ、それに適応していく能力を持っているということです。

いままさに始まった人工知能の急速な進化、それに伴う労働環境の変化は避けることはできません。それを前提に、人工知能を活用しながら、どのように共存して働いていくかを考えることが重要となります。具体的には、本章の冒頭で述べたような仕事、つまり人工知能が模倣できない領域で自分の能力を生かせる仕事を見つけることができれば理想的です。

第八章　一変する「教育」の風景
――人工知能時代に必要な自発的「学び」

「学び」の本質と「教育」

最近、大学で学生がレポートを書く際に、ChatGPT の使用を禁止すべきではないかという話がよく出てきます。そこには、「使用することで学生の考える力が落ちるのではないか」という懸念があります。また、「間違った答えを導いてしまった場合にどう対処すべきか」という問題提起もあります。私も教育機関で教える身ですが、こうした論調とは少し違う考えを持っています。この問題は、短期的な視点でなく、長期的に見通したうえで、学ぶとは何かという根源的な問題として扱う必要があると考えています。

本章では、「人工知能と教育」というテーマを掘り下げます。

学びと教育は、一見同じような意味の語に思えるかもしれませんが、本質的には大きく異なるものです。学びは、個々人が自主的に行う行為であり、自発的な動機に基づいています。自らが何を学びたいと思うか、それを追求するのが学びの本質です。

一方、教育にはそういった自発的な要素よりも、考えや技術を教えるということが重視されます。例えば義務教育は、国民が共通に身につけるべき公教育の基礎的部分を、誰もが等しく享受しうるように制度的に保障するもの、と定義されています。本人の意思にかかわらず、親や社会が身につけるべきと定めたことを教えるのが教育です。

私たちの多くが経験してきたように、現代の学校教育は決められた教科があり、教師が教科書に基づいて知識を伝え、生徒がそれを覚えるという仕組みになっています。そして、その前提には「いい学校に行き、いい大学に行き、いい会社に入る」こととされ、「そうすればいい生活ができるから頑張りなさい」という暗黙の了解のようなものがあります。しかしながら、この学校教育の流れは、学びの本質とは似て非なるものです。

そもそも私たちはなぜ、「教育システム」の中で勉強しなければならないのでしょうか。なぜ学校に行き、国語・算数・理科・社会を勉強しなければならないのでしょうか。その理由は、これらの能力が社会を維持し、発展させるために必要とされてきたからです。「たくさん勉強して、よい学校に行って、よい会社に入って、給与をたくさんもらう」というのは、勉強した結果としてその能力が社会から高く評価され、高い報酬を得られることを意味します。つまり、現代の学校教育の目的は、個々の自発的な興味や知的好奇心を満たすことではないということです。

目的を失う「学校教育」

教育は、「社会が求めるスキル」を持つ人材を育成するためにあります。

例えば大学では、カリキュラムやシラバス（講義計画）が設けられています。そこには各科目の目標や、受講することで身につくスキル、テストでの合格点などが明示されています。これらの結果から得られるのは、学生の「性能評価」にほかなりません。その評価に合格することで単位の取得につながり、それが大学卒業という結果を生み出します。

この「大学卒業」が意味するのは、「社会が求めるスキルセットが揃った」ということです。そして、このスキルを持つ人々が社会にとって必要であるからこそ、現代の学校教育はそのスキルセットを持った人々を大量に生み出すシステムになっているのです。

ここで一つ、思考の転換をしてみましょう。もし、社会の維持に多数の人々が同じ能力を持つことが求められるのであれば、その能力を持った人工知能をつくればよいという考え方に至ります。つまり、経済合理性から見れば、そのような「広く必要とされる能力」は人工知能によって代替されるということです。

「世界中で広く必要とされる能力やサービス」は、基本的に人工知能によって「代替される可能性が高い」と書きましたが、教育についても当てはまります。

言い方は過激ですが、能力の側面だけに注目すると、人間の能力育成においていまの学校が行っていることは、「ロボットをつくり出している」ともいえるでしょう。社会が必要とするのは、一言でいえば「同じ能力を持った多くの人材」です。とすれば、ロボットに代えたほうが効率的ですが、これまでそうしてこなかったのは、それを実現するロボットが存在しなかったからです。

もちろん教育には、人間性の育成や他人との関わり合い方の習得、自己実現のための思考を育てるという側面もあります。したがって、学校や教育に意味がないというわけではないのは承知の上ですが、技術の発展という側面から頭を整理すると、人工知能と協働する世界では、現在の学校教育システムは目的を失う可能性に直面しつつあると言えます。

自発的な「学び」が重要に

いまのところ、学校で教えられる科目を勉強することが「学び」とされていて、それ以外の学びは単なる趣味という扱いになってしまっています。しかし、前述したように、これは学びの本質とは異なります。

では、そこに人工知能が入り込んだら、どのようなことが起こるのか。人工知能がさらに進化した世界では、学ぶ意味はなくなるという見方もあるようです。しかし私は、意味を失うのは教育システムであって、個人の自発的な学びは、これまでより重要性を増していくと考えています。

第六章で述べたとおり、私たちの人生は多くの意思決定に満ちています。それらは言ってみれば「多目的最適化問題」であり、私たちは一つ一つ、自分が納得できる意思決定を重ね、自分の人生においてその結果を引き受けていくことが求められます。納得できる意思決定をし、幸せな人生を全うするためには、多くの指標からいくつかの指標を選び、選択肢が将来どのような結果をもたらすかをできるだけ正確に予測しなければなりません。

今日は何を食べるのか、仕事が終わったら家に帰るのか遊びに行くのか、お金を使うのか貯めるのか、結婚するのかしないのか、勉強するのかＳＮＳで時間をつぶすのか……。これら一つ一つの意思決定が、人生を左右するということを理解しておく必要があります。人工知能が進化しても、意思決定だけは任せることができないというのは前述したとおりです。

多目的最適化問題は多くの場合、問題そのものが不明瞭であり、その目的や指標が何か、それが自分にとってどういう意味を持つのか、将来的にどのような影響を及ぼすのかが未知数です。引越し先の賃貸アパートを決める例で言えば、広さ・家賃・アクセスのほかに、セキュリティやデザインなどを考慮に入れる必要はないでしょうか。さらに考えるべき項目はないでしょうか。また、デザインと一口に言っても、部屋のデザインの良し悪しはそもそも簡単に比較できるでしょうか。

自分が直面している問題がどのようなものであるかを明確に理解するためには、多くの知識と教養が必要になります。例えば、歴史や文学、芸術、技術、科学などの幅広い知識が大いに役立つと考えられます。つまり、自分が対峙する多目的問題の解像度を上げ、よりよい意思決定を行い、人生において後悔しないためには、自発的な「学び」がますます重要になっていくということです。

代替可能な教師の役割

人工知能の登場によって、社会に必要とされる能力を育てるという意味での「教育」の意義は薄れていくと書きましたが、人工知能が現在の教育システムに与えるインパクトについてもう少し具体的に見ていきたいと思います。

極端な表現ですが、現在の学校教育では、教師は生徒にとって全知全能のような存在です。なぜなら教師は受け持つ科目の知識をすべて持っており、テストの問題をつくり、その答えを知っています。テストでよい点をとるには、教師が教えることを生徒が覚えるしかありません。授業の主役は教師一人であり、三十〜四十人の生徒を相手に勉強を教えるという構図になっています。このような劇場型の授業形態が、現代教育の中心に位置しています。

そこにChatGPTのような人工知能が持ち込まれたら、その風景は一変するでしょう。

教師の代わりに人工知能が全知全能の存在として台頭してくるからです。そうなると、これまで築き上げてきた教育システムの意味が揺らぐことになります。

「人工知能は十二歳以下の子どもに使わせるべきではない」「学校の中では使用すべきではない」などという意見もありますが、その理由はあまりはっきりしません。子どもたちのためを考えてのことでしょうか、教師側の不安からでしょうか。望むと望まざるとにかかわらず、人工知能が教育に入り込んでくることは間違いありません。その現実を受け入れたうえで「学び」の本質を思い出し、子どもたちにとって望ましい未来を考える必要があるのではないでしょうか。

ChatGPTを使うかどうかは誰が決める？

本章の冒頭で触れたように、教育の現場でChatGPTを使ってもいいかどうかという議論があり、私もそのような質問をしばしば受けるようになりました。人工知能を研究していますが、一方で教員としての仕事もあるからです。

結論からいえば、新しい技術を使うかどうかは、学ぶ人自身が決めることであり、学校や教員が一方的に決めるべきものではないというのが私の考えです。

小学校の算数で電卓を使用することに問題はあるでしょうか。算数の応用的な文章問題が出題されたと仮定しましょう。この状況では、正しく計算できるスキルが重要なのではなく、算数や数学の概念を駆使して目の前の問題を整理し、適切な答えを導き出す能力が求められます。このような場合に一つ一つの計算を手作業でやれば時間がかかってしまい、少しの問題しか解けませんが、電卓を使えばより多くの問題が解けるかもしれません。単位時間あたりに多くの問題を解くことで、より効率的に問題を整理する力を磨くことができるわけです。

したがって、算数の問題解決力を効率よく身につけるトレーニングとしては、電卓の使用は問題ないというより、むしろ有効といえます。

しかしながら、すべて電卓に頼ってもよいということではありません。千円を持って店に買い物に行ったとしましょう。手持ちのお金で何をどのくらい買うか、いちいち電卓で計算しなくても、その場で素早く計算できたほうが便利です。このような、頭の中で瞬時に計算をする能力は、電卓では獲得できません。電卓を使わずに自分で計算するトレーニングをすることによって、可能となる能力です。

ChatGPT についても、同じように考えてみましょう。

ある研究において、自分の考えを整理する道具として ChatGPT を使うことはどうでしょうか。研究というのは、誰も解決したことがない問題に対して新しい解決方法を考えて提案することなので、ChatGPTでさえ答えを知りません。ほかの研究者の論文を読んだり議論したりしながら、人工知能を使って自己の思考を整理するのであれば、まったく問題ないといえます。それが何か新しい進歩を生むきっかけになるなら、むしろ積極的に使用すべきです。

ただし、ChatGPTへの過度の依存は負の現象をもたらすかもしれません。言葉を自ら紡ぎだす能力が失われてしまい、語彙が貧困になることも考えられます。プレゼンテーションでアドリブが効かなかったり、会話がスムーズにできなかったりなどの事態に陥ることもあるでしょう。自分の言葉で表現する能力は、それ自体を訓練しなければ向上しないという事実を忘れてはなりません。

要は、学びの目的によって人工知能をどのように使うかが違ってくるということです。一律に人工知能を使ってはいけないという話ではなく、一律に使っていいという話でもありません。

経済力に関係なく学べる時代へ

人工知能と共存し、自由に学ぶ世界に生きる子どもや若い世代に対して、私たち大人ができることは、学びの自由を妨げずにいかにサポートしていくかに尽きると思います。学びの対象はさまざまです。まずはその多様性を認め、学ぶ本人が自由に対象を選べるようにサポートするということが大切です。

その視点で考えると、モンテッソーリ教育やソクラテス法のような、学ぶ者の自発性を重視する教育法が注目されてきます。モンテッソーリ教育は、子どもが主体となり、自分で課題に取り組み結果を導き出すプロセスを重視します。一方、ソクラテス法は、問答を通じて学ぶ者の理解を深める手法です。両者とも、教師や指導者が全知全能の存在として教えるのではなく、学ぶ者の成長をサポートする役割を果たします。

このような教育の世界では、教師にはコーチングやメンタリングといったスキルも求められるようになります。コーチとしては、生徒のパフォーマンスの向上や特定のスキルの習得に焦点を当てたサポートを、メンターとしてはより長期的な視点で、人生の目標や人間関係の悩みなどの支援ができる存在になっていく必要があるでしょう。

ただし、教師一人でできることには限界があります。そこで活用できそうなのが人工知能です。一人の教師がクラス全員に対してコーチングやメンタリングを行ったり、ソクラテス法を実行するのは不可能ですが、ChatGPTなどの人工知能を利用することで、生徒一人一人の多様な興味に対応できる可能性があります。

実際、自分の学びのためのサポートツールとしてChatGPTを活用する人は、徐々に増えているようです。例えば、英会話の会話相手を務めたりするサービスがすでに出始めています。正しい英語が使えてそれなりのレベルで会話相手が務まれば、人間ではなくて人工知能でも十分に役に立つでしょう。

ChatGPTをうまく使えば、学ぶ人のパートナーとして、コーチやメンターのような支援が期待できます。これまでは家庭教師やコーチなどがその役割を担ってきましたが、そのサービスを利用するには経済的な余裕が必要でした。しかし近い将来、ChatGPTなどの人工知能によって、どんな人でも同じようなサービスを享受できるようになります。学校が定める科目だけでなく、昆虫学や海洋生物学、哲学など、たとえ小学生でも学びたいと思えば、サポートを受けられるようになるでしょう。専門家が横にいるかのように人工知能がサポートする世界が、すぐそこに来ています。

ほとんどの人が同じような価値観や能力を持つ社会よりも、多様な価値観や能力を持つ人々が集まる社会のほうが、全体としての知能は大きく向上するはずです。

「教養」とは何か

これまでは、国が定めた学校の科目を学び、その範囲内でよい点をとればよしとされてきました。前述したように、課目外への好奇心や知識は、趣味扱いとしてきたのが現行の教育です。しかし、人間にしかできない意思決定をするには、むしろ趣味扱いされてきたもののほうが重要度を増します。つまり「教養」です。

教養とは、学問・知識をしっかり身につけることによって養われる、心の豊かさであると言うことができます。それは、決して他者に押し付けられるものではなく、自発的な興味や動機にモチベートされるべきものです。もちろん、それを身につける過程で他者の教えや教科書が大いに役に立つことは言うまでもありません。決して、先生や教科書を否定しているわけではありませんが、教養を身につける学びのツールはそれだけでもないのです。

人工知能にはできない意思決定をするには、学校の科目だけでなく「教養」が必要です。芸術、文化、世界の動きなど、幅広い知識を自発的に学ぶことで選択肢が広がり、豊かな人生を送ることが可能になります。というより、自発的な「学び」が、人生を豊かにするということなのだと思います。

ドリームキラーにならないために

人工知能の出現により、私たちの世界は劇的な変化を遂げつつあります。この大きな流れの中で、子どもたちは何を考え、どのように生きていくことになるのでしょうか。子どもたちの将来を決めるのは子どもたち自身です。大人たちがレールを引く必要はありませんが、これだけ技術の発展がすさまじい世の中です。現在のフレーム（枠組み）の中での正解が、将来のフレームの中では必ずしも正解ではないかもしれない。そのことを大人自身がきちんと理解し、子どもたちの足かせにならないようにするのが最良かもしれません。

　例えば、現時点で一流といわれる大学に入学し、一流といわれる企業に就職することが将来的に「よい人生」を送ることにつながるとは限りません。それは、現代の学歴社会や新卒一括採用、終身雇用、年功序列といったフレームの中での考え方です。旧来のフレームでしかものごとを見ていない大人によるアドバイスは、往々にしてお門違いとなりがちです。

　例えば、音楽家や芸術家として生きることの豊かさを理解するのさえ、難しいかもしれません。そのような夢を抱いている子どもに、「それでは食べていけない」と諭す親が大半ではないでしょうか。あるいは、こういう大人は、子どもがYouTuberになりたいなどと言ったら、「世の中はそんなに甘くない」と一蹴するでしょう。

　子どもや若者の夢を否定する人は、「ドリームキラー」、つまり夢を壊す人と呼ばれます。自分たちの世界観の中での正解を他者に押し付け、その人たちの夢を壊してしまうからです。しかも、それは相手のことを深く思ってなされることが問題を難しいものにしています。親が子どもの将来を思う心から、自分の価値観での正解を子どもに押し付けてしまう。これは、よく見かける親と子のシーンではないでしょうか。しかし将来、世の中の状況が一変してしまったら、その正解は正解ではなくなってしまうということを大人たちは知っておいたほうがよいと思います。

人工知能のさらなる進化が社会のフレームをどのように変えるのか、それはまだはっきりとは見えません。しかし、少なくとも社会の枠組みが変わることは確かです。

そのなかで大人がすべきことは、子どもの夢や学びを否定せず、子ども自身が後悔しない意思決定をするための環境や情報を提供することだと思います。自発的に学ぶことの楽しさや、教養を持つことの豊かさを伝えるということです。

社会のフレームが激変しようとしている時代は、年齢にかかわらず、変革を受け入れ、互いに理解し合い、共に成長していくことが求められていると思います。

子どもたちは、どのようにすれば自分自身で意思決定することの重要性を学ぶでしょうか。私は人間関係を通じて学べると考えます。一般的に、子どものそばにいて、最も影響力を持つのは親でしょう。親は子どもが興味を持っているものを理解し、どのように学べば子どもの人生が経済的な意味を超えて豊かなものになるかを考えることが大切です。子どもの自発的な動機を保つために、新しい興味を見つける機会をつくることも必要でしょう。

親以外の知識豊富な大人と接する機会をつくるのもいいですし、本を読んだり、趣味やスポーツに挑戦することを応援してもいいと思います。子どもは多様な経験を通じて、「何を学びたいか」を見つけることができます。親自身が多様な人間関係をつくったり、学んだりする姿を見せることも大切です。子どもは親を見本にしながら、自発的な学びを身につけていきます。

終章

人間とも人工知能とも「仲良く」する力

「なかったこと」にはできない

人工知能の登場は、電気やインターネットの普及と等しく大きな変革の波を世界に巻き起こしています。後戻りなどという選択肢はすでに存在せず、私たちの生活、社会、文化に人工知能は深く根付き始めています。その動きが加速することはもはや予測などというものではなく、現実です。

誕生してしまった技術を「なかったこと」にできないのは、すでに述べたとおりです。したがって、既存の社会の仕組みや法律といったフレームの中に留まりながら、人工知能の是非を議論することはほとんど意味を成さないでしょう。子どもたちのために私たちがやらなければならないのは、既存の社会フレームを維持することではなく、人工知能の発展に合わせて社会フレームもアップデートしていくことです。

先進国では、しばしば昔ながらのレギュレーションが足を引っ張り、社会フレームのアップデートが遅れがちです。これに対して、発展途上にある国には確固としたフレームがない分、人工知能の進化の波に乗って急速に発展するかもしれません。

日本はどうでしょうか。深刻な少子高齢化、働き手不足という試練を克服するには、旧来のフレームをアップデートすることが急務です。いまだに手書きで紙に記入し、それを

ＦＡＸで送るような社会フレームが残っていることは、コロナ禍（での保健所と医療機関とのやり取りなど）で露呈しました。できるだけ早く変えていかなければなりません。

人工知能の進化は、素直に考えれば企業にとっては朗報です。しかし実態はどうでしょうか。多くの従業員と旧来の人事制度を抱え続ける従来型の大企業は、淘汰の危機にさらされるかもしれません。なぜなら、人工知能を前提とする新しい制度で経営される高い生産性を達成したベンチャーが競争相手として登場したら、太刀打ちできないかもしれないからです。

私たちは「これまで問題なくやってきたから」という発想を捨て、人工知能が身近に存在する前提で、倫理や法律、教育、ビジネスなどの社会システムをゼロベースで見直す必要があります。それこそが、次の世代へ贈る最善の遺産となるでしょう。

ならば、共存に必要なことは

人間と人工知能が共存することができれば、私たちはより豊かで幸せな生活を送ることができるのはほぼ間違いありません。では、共存するために必要なのは何でしょうか。

本書をここまで読まれた方は、おわかりでしょう。教育などに対する価値観や法律などの社会フレーム、そして私たち自身の考え方を柔軟に変えていく覚悟を持つこと。そして人工知能を受け入れることができる社会を構築し、人工知能をツールとしてうまく活用していくことです。一言でいえば、人工知能と共存する社会を想像しながら、人工知能と「仲良く」できる力を持つことです。

二〇二三年現在のChatGPTは、「人間がテキストを入力するとそれに反応する」というソフトウェアの段階に留まっています。しかし、近い将来、人工知能は社会の隅々まで浸透していくのは間違いありませんし、ロボットの身体を持つ人工知能も登場し、物理的な意味でも私たちの身近な存在となっていくでしょう。そうなったとき人工知能は、自発的で能動的な存在としての性格を持つようになります。

人間がこれまでのように存在し続ける一方で、人工知能も自発的に動き出し、人間と人工知能が一体となったシステムが形成されることでしょう。

そして、シンギュラリティに近い状態になったときには、人工知能と人間が競合するような関係ではなく、ともに存続し、よりよい状態を維持できるような関係を築き上げていかなければなりません。そして、これが最も大事なことなのですが、人類が滅亡するとすれば自ら滅亡のスイッチを入れたときです。そうならないためには、人類は知恵と良識を持ち、互いに協力しあい、公正で適切な行動をとることが求められます。

「協調」ではなく「調和」を

私たちの研究室は、「調和系工学研究室」と名乗っていますが、そこには人間と人工知能の関係性に対する思いが込められています。

「調和」とよく似た言葉に「協調」がありますが、私たちが目指す世界観は「協調」ではありません。あくまで、人間と人工知能が「調和」する社会です。

「協調」は、利害が対立する両者が問題解決のために妥協点を見つける意味合いがあります。これはお互いが同等の立場の場合に成り立つ関係であり、人間と人工知能の間ではおそらく成立しないでしょう。それに対して「調和」は、バランスがとれた適切な状態です。

目指すのは、人工知能と人間が相互作用することで互いになくてはならない、かけがえのない存在となるシステムとして成り立っている、そんな社会です。

そのような未来を迎えるためには、倫理、テクノロジー、法律はもとより、さまざまな視点から社会のありようを見ていく必要があります。人工知能に対する研究者の深い探究、ユーザーの人工知能に対する理解も重要な要素です。そのうえで、人工知能と人間がお互いにサステナブルな共通目標を持てる調和システムをつくっていかなければなりません。つまりそれは、人工知能と人間が互いに高め合うシステム観がテクノロジーに求められるということです。

もしこのような社会を築くことができれば、ロボットや人工知能が人間を排除するかもしれないとか、仕事を奪うかもしれないといった議論は生じないはずです。

現代社会では、私たち一人一人が多様な価値観や目的を持ち、それに基づいて生活しています。人工知能が将来、人間と同じように多目的な課題に取り組むようになれば、人間の価値観や生き方はますます多様化することでしょう。

そこで大切なのは、いわずもがなですが、一人一人が明確な価値観を持ちつつ、その多様性を社会全体が認めることです。価値観の違いによる対立などせずに、互いに妥協点を見つけながら社会全体のバランスを保つような未来を目指したいものです。

そして、人工知能とも人間とも「仲良く」なれる力を身につけ、社会全体をよりよい方向に導くにはどうすればいいかを一人一人が考えていく。そうすることで、私たちは人工知能というテクノロジーとともに明るい未来を築いていけるでしょう。

あとがき　「多くの人が自発的に学ぶ」社会への期待

本書ではディープラーニングや生成系人工知能の技術的な側面よりも、社会的なインパクトやこれから予想される影響について述べてきました。とくにChatGPTは驚くべき技術であり、これからの私たちの社会や価値観に大きな影響を与えていくと思います。

急速な技術発展は楽観的な期待だけではなく、時には不安を伴うものですが、登場した技術はなかったことにはできません。ChatGPTのような人工知能は、蒸気機関、電気、自動車、インターネットといった革命的な発明に匹敵するものであり、近い未来において社会を支える重要なインフラになっていくのは確定的だと思います。多くの期待や不安の中で人々の暮らしに浸透していくことになるでしょう。

新しい技術が社会に浸透していくとき、いきなり上手に社会がその技術を使いこなせることは稀(まれ)です。例えば、ガソリン自動車は十九世紀の終わりに発明され、二十世紀初頭には大量生産が始まったものの、その社会的意義がすぐに理解されることはありませんでした。「使ったら脚力が衰える」「自動車が走れる道なんてどこにあるのか」「ガソリンなんて手に入らない」「事故を起こしたらどうするのか」といった懸念もあったことでしょう。しかし、それから約百年後の現代においては、自動車なしでは社会が機能しないことは明らかです。私たちが食べるもの、着るもの、住む場所に至るまで、自動車の存在なしては考えられません。

自動車の普及期には、技術革命による量産能力の強化と生産コストの低下が進行しました。また、舗装道路の整備も進み、ガソリンスタンドが道路沿いに設置されるようになりました。さらに、ブレーキやシートベルト、エアバッグなどの安全装置の改良が進み、自動車の安全性が高まってきました。また、法律も徐々に整備され、社会全体で自動車の利用を安心して行うための知識やノウハウが蓄積されました。加えて、万が一の事故に備えるための自動車保険も一般的になりました。こうした一連のプロセスを経て、自動車は社会のインフラとして欠かせない存在となったのです。

いまの人工知能が世間を騒がせている状況は、ちょうど自動車が登場したばかりの状況と同じように考えることができます。「仕事の生産性や効率性の向上」「未曾有（みぞう）のサービスの提供」などの期待の声がある一方で、「知力が鍛えられなくなる」「情報漏洩（ろうえい）のリスクがある」「誤情報が拡散する」「職を奪い取られる」といった危懼（きく）の声も同様に存在します。

しかし、これらの意見は自動車が初めて登場した際の意見と大差ないように思います。新しい技術には必ず賛否が伴い、それが人類に有益であれば、必ず適切な使い方を学び、よいルールや制度をつくり上げながら普及していくものと信じています。

自動車の登場によって社会のあり方が大きく変わり、自動車がない時代に戻れないように、人工知能によって人々の価値観や社会のあり方が大きく変わり、私たちもまたそれに応じて考えを変えながらしなやかに生きていく必要があると思います。

私たちの人生に現れる多くの多目的最適化問題、意思決定は、人工知能には委ねられず、自分で決めていかなければなりません。高い解像度で自分の眼の前の多目的最適化問題を理解し、後悔しない意思決定をするためには、教養を高め、自発的に学ぶことが必要です。それは決して他者や人工知能による意思決定ではなく、自分自身の価値観の中での意思決定です。

多くの人が自発的に学ぶことによって実現する社会は、多様性の社会です。人工知能の発展によって、「大多数が同じ価値観、能力を持つことで成り立つ社会」から、「大多数が違う価値観、能力を持つ多様性を認める社会」に変遷していくのではないかと思います。同質の能力・価値観の人の総和からなる社会よりも、異質な能力・価値観の人の総和からなる社会のほうが、社会全体の叡智は大きくなるのではないかと期待しています。

人類がこの地球で持続可能性を維持するためには、気候、水、食料、戦争、貧困、人口、自然など解決しなければいけない課題が山積しています。多目的な問題ゆえ、原理的に人工知能がこれらすべてを解決することはできませんが、多様な価値観・能力を持った人々が人工知能を使いこなすことでよりよい意思決定を行い、未来の子どもたちによい形で社会をバトンタッチしていけたらと思います。

このような大きな社会変化の中で、私たちはより柔軟に技術と社会の進歩に対応していく必要があります。人は漠然と、自分が慣れ親しんだ状況や環境が自分たちにはよいと思いがちですが、古い価値観でつくられたフレームに固執せず、どんどん新しいものを学んでいき、私たちが主体性をもって技術の発展に合わせた社会をつくっていくという志を持てたらと思っています。

私が幼いときに夢見た「自分たちでつくったプログラムの振る舞いが、自分たちの想像を超えていく」世界が実現しつつあります。このような時代の変化に立ち会えることを幸運に思っています。もちろん、すべてバラ色の未来とは限らないのですが、でも未来をつくるのは私たちです。

本書がほんの少しでも、皆さんの未来への備えとなれば幸いです。

二〇二三年八月

川村秀憲(かわむらひでのり)

〔協力〕

渡辺信幸（ソニックガーデン）

倉貫義人（ソニックガーデン）

ChatGPT-4

[著者略歴]
人工知能研究者、北海道大学大学院情報科学研究院教授、博士（工学）。1973年、北海道に生まれる。小学生時代からプログラムを書きはじめ、人工知能に興味を抱くようになる。同研究院で調和系工学研究室を主宰し、2017年9月より「AI一茶くん」の開発をスタートさせる。ニューラルネットワーク、ディープラーニング、機械学習、ロボティクスなどの研究を続けながらベンチャー企業との連携も積極的に進めている。
著書に『人工知能が俳句を詠む』（共著、オーム社）、『AI研究者と俳人　人はなぜ俳句を詠むのか』（共著、dZERO）、監訳書に『人工知能 グラフィックヒストリー』（ニュートンプレス）などがある。

ChatGPTの先に待っている世界

著者　川村秀憲

2023年10月12日　第1刷発行

装丁　大口典子（ニマユマ）
発行者　松戸さち子
発行所　株式会社dZERO
https://dze.ro/
千葉県千葉市若葉区都賀1-2-5-301 〒264-0025
TEL: 043-376-7396 FAX: 043-231-7067
Email: info@dze.ro

本文DTP　株式会社トライ
印刷・製本　モリモト印刷株式会社

978-4-907623-62-3